JN014048

いとしの
ソフトクリーム
130
プロソフト
クリーマー
森川

prologue

コンビニで、道の駅で、観光地で……
全国各地で目にする「ソフトクリーム」。
普段、甘いものはあまり食べなくても、
おでかけ先ならばついつい食べたくなって
しまったり、子どもや家族にせがまれて
ついつい買ってしまったりしませんか。
どこかに行ったときの思い出の中に、
誰かと一緒に食べたソフトクリームの記憶が
残っている人も多いのではないでしょうか。

私は大学卒業後に、旅行会社に勤務していました。
当時はバスツアーの添乗員をすることが多く、
そのときに、年配の男性も含めた多くのお客さんが、
サービスエリアでソフトクリームを食べていることに
気づき、ソフトクリームの魅力に目覚めました。
それ以来、各地のご当地ソフトをはじめ、
国内外問わずあらゆるソフトクリームを食べてきました。
これまでに食べてきたソフトクリームは
5000本以上。

テレビや雑誌などのメディアでお店の紹介をしたり、
ソフトクリームの商品開発や、
プロデュースも行ってきました。

日本のソフトクリームは、世界と比べても
クオリティが高く、バリエーションも豊富です。
その場でしか食べることができないからこそ
その土地ならではのおいしさや、
面白さをもっと知ってもらいたい。
ソフトクリームをもっと盛り上げていきたいと思いました。

そこで、私がこれまで食べてきた中で
おすすめの130本を厳選しました。
おでかけの際はぜひ本書をお供に、
ソフトクリームを食べ歩いてみませんか。

プロソフトクリーマー 森川

my beloved

いとしのソフト

ソフトクリームを語るならば
絶対に話しておきたい、人生を変えた1本について

唯一無二のふわふわ感

私が世界で一番大好きなソフトクリーム屋さんは、実家から徒歩圏内にあります。私はプロソフトクリーマーを名乗る前から、おいしいものを食べることが大好きでした。そのことを知っている知人がオススメしてくれたのが、とあるソフトクリームのお店でした。

場所はちょっと不便でしたが、散歩がてら足を運んでみたところ、衝撃の出合いを果たしました。口に含んだ瞬間からふわっと溶け、濃厚なミルク感が口の中いっぱいに広がるのです。鼻からは上品で心地よい香りが抜けていく……。こんなソフトクリームは食べたことがない。唯一無二の体験でした。同店の

the best softcream

ソフトクリームは、イタリア製のソフトクリームマシーン・カルピジャーニから抽出されており、冷たすぎず、食感もよく、ビジュアルも完璧。最高の仕上がり具合だということが伝わってきました。

思わず店員さんにお話を聞くと、お店に牛乳が届くたびに、その成分に合わせて材料の配合を微調整しているとのこと。ソフトクリーム店の中でもここまで材料に徹底しているお店は希少です。今でも地元に帰ったときは、朝一番に口にするものはこのお店のソフトクリームと決めています。最高の1本を一番おいしく食べられる状態で味わうのが、私のプロソフトクリーマーとしてのこだわりです。

best

ベスト
ソフト

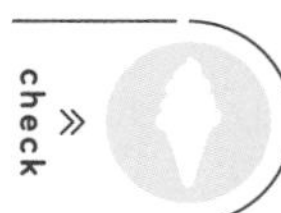
check »

長崎カステラ生ソフト

¥540円

特典●ソフトクリーム大盛り

「長崎カステラ生ソフト」は、同店の人気商品「長崎カステラアイス」の中に入れる原料として作っていたアイスなので、数年前までは裏メニューだったようですが、今では通常販売されています。店舗で焼いたザラメがザックザクのカステラに、上質なブランド卵の風味が感じられる生ソフトを抽出。店舗自慢の手焼きクッキーがトッピングされています。カステラとソフトクリームの組み合わせは悶絶するほどおいしく、クッキーでソフトクリームをすくいながら食べるのも最高です。

#長崎県 #銘菓 #カステラ

長崎県長崎市古川町3-17
☎095-822-4875
営11:00〜17:00
ソ提供時間：〜16:30
休不定休
アイス工場は火・金休※
https://www.nyu-yo-ku-do.jp/
Instagram：
@newyorkdow

※アイス工場が稼働中のみの提供。火曜・金曜以外にも休みの場合がありますので、事前にホームページでの確認をおすすめします。

best 3

ずんだソフトに
ずんだ餅！
これ以上ない組み合わせ

お茶の井ヶ田
喜久水庵ずんだ茶屋

check ≫

プチずんだパフェ

¥450円

仙台といえば、すりつぶした枝豆のあんがおいしい「ずんだ餅」が有名ですが、その仙台で絶対食べてほしいソフトクリームに、喜久水庵のずんだソフトクリームがあります。同店はずんだシェイクが有名ですが、それのソフトクリーム版だと思ってください。ずんだソフトにずんだ餅をトッピングしたこれ以上ない組み合わせです。仙台駅東口「アグリエの森mitte」では、ずんだシェイクにずんだソフトをのせたフロートがあるので、シェイクとソフト両方食べたい人にオススメです。

#トッピング

宮城県仙台市
青葉区中央1丁目1-1
仙台駅3階新幹線中央改札口前
☎022-721-8861
営9:00〜21:00
ソ提供時間：〜20：30
休なし
http://www.ocha-igeta.co.jp

鎌倉小川軒
鎌倉本店

best
4

check »

鎌倉小川軒ラムレーズンソフト

¥550円

特典●ソフトクリーム50円引き

「サクッとしたバターサブレ」「ふっくらと香り高いラムレーズン」「口溶け滑らかなバタークリーム」の三重奏が楽しめる「レーズンウィッチ」が大人気の鎌倉小川軒。小さい頃から食べていた大好きなお菓子がソフトクリームになった「鎌倉小川軒ラムレーズンソフト」は、ラムレーズンのソフトクリームがベース。ふっくり煮上げたレーズンと、サックサクのバターサブレがトッピングされています。まさに、レーズンウィッチそのままのソフトクリームです。

#神奈川県

#銘菓

#レーズンバター

神奈川県鎌倉市御成町8-1
☎0467-25-0660
営10:00〜18:00
ソ提供時間：〜17:30
（木曜 〜15:30）
休不定休
https://ogawaken.jp/

専門店ならではの
ピーナッツ感

木村ピーナッツ本店「ピネキ」

best 5

check ≫

ピーナッツソフトクリーム

¥470円

千葉・館山にある「木村ピーナッツ」の直営店。ここで食べられる「ピーナッツソフトクリーム」は、専門店の絶品ピーナッツを使った香り高く濃厚なソフトクリームです。まるでピーナッツバターを、そのまま冷やしてソフトクリームにしたかのような仕上がり。同店では他にもこのソフトクリームを使ったシェイクやパフェを楽しむことができます。私はこのソフトを食べに、わざわざ南房総まで行くと言ってもいいくらいお気に入りです。

#千葉県
#ピーナッツ
#名産

千葉県館山市下真倉236-3
☎0470-22-3488
営9:00〜18:00
ソ提供時間：同上
休元日
https://kimura-honpo.com/

check »

ソフトクリーム ラングドシャコーン

¥600円

幡ヶ谷にある人気洋菓子店のソフトクリーム。手作りソフトクリームミックスを使っていて、マダガスカル産バニラビーンズを使用。ふんわり滑らかで、口溶け濃厚なバニラ風味です。自家製のラングドシャコーンは、内側がチョココーティングされていて、これだけでも無限に食べられるおいしさです。

#東京都 #バニラ #手焼きコーン

東京都渋谷区幡ヶ谷2-5-3
☎03-6383-3990
営12:00〜21:00
ソ提供時間：13:00〜20:00
（販売期間4〜10月末）
休月曜、不定休
Instagram：@maisondemiimo

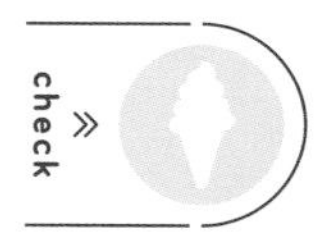

check »

栗薫ソフトクリーム

¥650円

特典●栗薫トッピング無料

谷中商店街にある和栗の専門店。栗の自社農園を保有し、栗菓子やモンブランに適した栗をオーナー自らが栽培しています。「栗薫ソフトクリーム」は、24時間以内に搾った搾りたての生乳に、和栗ペーストを30％配合した無添加ソフトクリーム。栗の風味がしっかりと感じられ、超高級モンブランのような仕上がりです。

#東京都 #和栗 #専門店

東京都台東区谷中3-9-14
☎非公開
営11:00〜18:00（L.O.17:00）
ソ提供時間：〜17:30頃
休なし
https://www.waguriya.com/
Instagram：@waguriya

COW RESORT IDEBOK

best 8

フレッシュな生乳を生かした
静岡の人気ソフト

牧場のソフトクリーム

¥460円

静岡県富士宮市に本社を置く、静岡を代表する乳業メーカーのいでぼく。健康な乳牛から朝の搾りたて生乳を、新鮮なうちに75℃15分と低温殺菌（一般的な牛乳の殺菌は100℃以上で2秒程度）。牛乳の風味やコクをダイレクトに味わえるソフトクリームとなっています。県内のSAや道の駅などでも食べることができます。

#静岡県 #牧場 #低温殺菌

静岡県富士宮市人穴728
☎0544-52-3697
営10:00～17:00（土日～18:00）
ソ提供時間：同上
休不定休（12～2月は水曜休）
https://www.ideboku.co.jp/
Instagram：@idebok_insta

SOTO CAFE SAKURA

best 9

生乳を食べているかのような
濃厚な仕上がり

ハスカップミルク

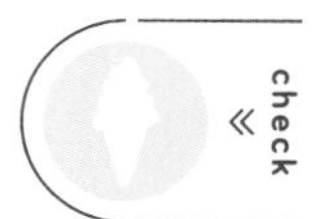

¥700円

札幌市南区、小金湯温泉エリアのソフトクリーム店です。宇野牧場の100%グラスフェッドミルクを使ったオーガニック牛乳が原料で、温度管理の徹底されたカルピジャーニから抽出されます。まずはそのままで、続いて厚真町産ハスカップを使用した甘酸っぱいハスカップソースを絡めていただきました。

#北海道 #牧場 #カルピジャーニ

北海道札幌市南区小金湯675-3
☎080-4044-8720
営11:00～18:00
（販売期間は毎年４～10月頃※）
ソ提供時間：同上
休なし
Instagram：@soto_cafe_sakura

※販売期間外は、ジェラート専門店「GELATERIA SAKURA」にてソフトクリームを提供。

contents

chapter 2

フレーバー別 推しソフト …… 21

contents

chapter 3 ジャンル別 推しソフト

contents

chapter **4**

ソフトクリームの本場 北海道で食べたい贅沢ソフト

1 チェックボックス

「❹特典」を使用した際は、店舗または各自でここにチェックを入れてください。特典がない／使用しない場合は、スタンプラリーや御朱印のように使ってください。

2 ソフトクリーム名

3 価格

4 特典

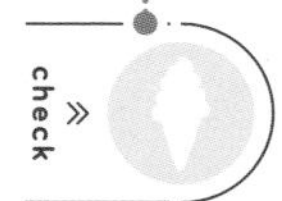

長崎カステラ生ソフト

¥540円

特典●ソフトクリーム大盛り

「長崎カステラ生ソフト」は、同店の人気商品「長崎カステラアイス」の中に入れる原料として作っていたアイスなので、数年前までは裏メニューだったようですが、今では通常販売されています。店舗で焼いたザラメがザックザクのカステラに、上質なブランド卵の風味が感じられる生ソフトを抽出。店舗自慢の手焼きクッキーがトッピングされています。カステラとソフトクリームの組み合わせは悶絶するほどおいしく、クッキーでソフトクリームをすくいながら食べるのも最高です。

#長崎県 #銘菓 #カステラ

長崎県長崎市古川町3-17
☎095-822-4875
営11:00～17:00
ソ提供時間：～16:30
休不定休
アイス工場は火・金休※
https://www.nyu-yo-ku-do.jp/
Instagram：
@newyorkdow

※アイス工場が稼働中のみの提供。火曜・金曜以外にも休みの場合がありますので、事前にホームページでの確認をおすすめします。

5 ソフトクリームの提供時間帯

6 お店やソフトクリームの特徴

特典について

「本書を持参して来店されたお客様お1人様1回限り」、記載の特典を受けることができます。本特典は、本書の発売日より3年間（2026年12月1日まで）有効です。特典の内容や有効期限は、お店によって異なります。必ず本書持参のうえ、店頭でご確認ください。

※本書は、プロソフトクリーマー森川さんが推薦するソフトクリームの中から、店舗に掲載の許可を得られたものを掲載しています。ランキング形式ではありません。
※本書に掲載した情報はすべて2023年10月現在のものです。最新の情報は店頭にてご確認ください。

chapter

1

いとおしい ソフトクリームの世界

私たちが何気なく食べている
「ソフトクリーム」。その正体とは？
知っているようで知らなかった
ソフトクリームの世界へ
ご案内します。

ソフトクリームとは？

冷たくてやわらかなソフトクリーム。
アイスとはどう違うのでしょうか。

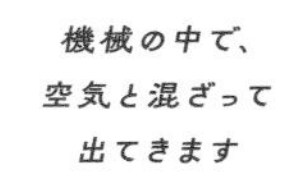

ソフトクリームは、〝できたて〟のアイスだった！

コンビニやスーパーで目にするアイスは、クリーム状の原料を容器に詰めて、−30℃以下で急速凍結して固めたものです。いっぽうでソフトクリームは、原料を専用のフリーザーで−5〜−7℃に冷やし固めたものをいいます。店頭に並ぶ前に完成するアイスクリームに対し、食べる直前に完成するソフトクリームは、いわば「できたてのアイスクリーム」なのです。

アイスクリーム
乳固形分 15.0％以上
うち乳脂肪分 8.0％以上

アイスミルク
乳固形分 10.0％以上
うち乳脂肪分 3.0％以上

ラクトアイス
乳固形分 3.0％以上

3種類に分けられる

一口にソフトクリームといっても、分類が違うと味が大きく異なります。「アイスクリーム類」は、国の省令で3種類に分けられています。乳固形分と乳脂肪分の含有割合が多い「アイスクリーム」は植物性油脂を使用することは禁止されており、「アイスミルク」、「ラクトアイス」に関しては、植物油脂が使用されることがあります。

いろいろなフレーバー

生乳・乳製品・砂糖などで作られるソフトクリームミックスは、たくさんの味が存在します。

定番フレーバー

・バニラ ・ミルク
・チョコレート
・抹茶 ・いちご

旬のフレーバー

・さくら
・ラムネ
・マロンなど

これは広島レモンのソフトクリーム

ご当地フレーバー

地元の銘菓やフルーツを取り入れたもの など

しぼりの形もさまざま

ソフトクリームをつくる機械「フリーザー」の口金を変えると、さまざまな形をしぼることができます。

星型

丸型

花型

ソフトクリームを作っている会社は？

ソフトクリームミックスは乳業メーカー、ソフトクリームフリーザーは電機メーカーがおもに販売しており、あらゆる会社が日本のソフトクリームを支えています。なかでも業界シェアNo.1の日世株式会社は、ソフトクリームフリーザー、ミックス、コーンのすべてを製造しているリーディングカンパニーとして有名です。

(日世株式会社 2021年実績より)

日世株式会社についてはは94ページでも紹介しています

ソフトクリーム界のフェラーリ「カルピジャーニ」とは？

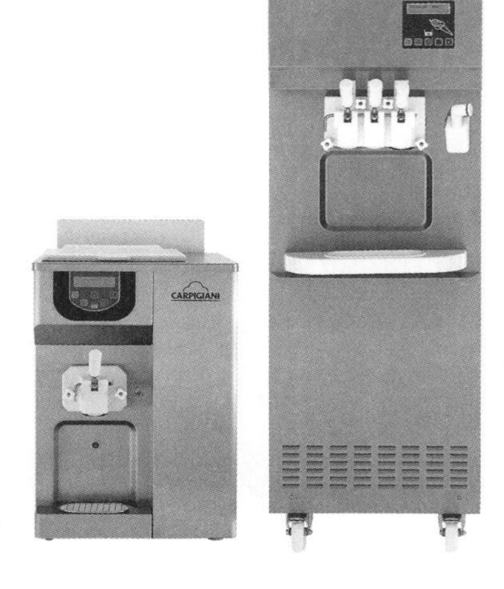

ソフトクリーム好きのあいだでも評判の、イタリア製サーバー「カルピジャーニ」。ソフトクリームに空気を含ませることに長けており、ふわっと滑らかな口溶けが楽しめます。その実力は「ソフトクリーム界のフェラーリ」。プロ仕様の機械のため、より高品質なソフトクリームを生み出すことができます。

画像はカルピジャーニジャパン ホームページより
https://www.carpigiani.com/jp

chapter

2

フレーバー別 推しソフト

定番の牛乳ソフトクリームから
ちょっと変わった味わいまで、
フレーバーごとに選びました。
目で見て、舌で味わって
違いを楽しんでほしいです。

milk
牛乳系ソフト

10
ノースプレインファーム緑園

関東エリアで
北海道の牧場ソフトを
最高の状態で
楽しめる店

11
DAIMYO SOFTCREAM（ダイミョウソフトクリーム）

モコモコ巻きと
竹炭コーンの
フォルムがかわいい

岩手県の
自然放牧ソフトが
日本橋で楽しめる

12
なかほら牧場

13
牛乳屋さんのソフトクリーム

牛乳専門店の
極上牛乳
ソフトクリーム

milk

牛乳系ソフト

ソフトクリームの王道フレーバー ですが、
乳脂肪分や原料の違いで、
大きく味は異なります。

10 牛乳ソフト

check »

¥380円／ミニ310円

特典●トッピング（煮小豆またはキャラメルソース）無料

北海道おこっぺ町にあるノースプレインファームのソフトクリームを、温度管理の徹底されたカルピジャーニから抽出してくれるお店。無添加・安定剤不使用のソフトクリームは受け取ってすぐが食べごろで、暑い日はあっという間に溶けてきてしまいます。牛乳ソフトは良質で新鮮な北海道の牛乳感を存分に堪能できる仕上がりで、抹茶はこの牛乳ソフトをベースにした苦みも渋みもないやさしい味わい。初めての方は牛乳ソフトのおいしさを純粋に味わえる単品注文がオススメ。

ノースプレインファーム緑園

神奈川県横浜市泉区緑園4-1-2
相鉄ライフ緑園都市
☎045-814-4261
営10:30～18:00
ソ提供時間：同上
休火曜
https://northplainfarm.co.jp/wp/
Instagram：
@northplainfarmryokuen

11 プレミアム生クリームミルク

check »

¥550円

福岡県のソフトクリーム専門店。福岡市内に複数店舗があり、東京や大分にも進出しています。「プレミアム生クリームミルク」は、同店自家製のミックスで作るソフトクリーム。一口目に生クリームミルクのおいしさを口いっぱいに堪能できるのですが、それが過ぎ去ったあとに独特の甘さがやってきます。竹炭コーンとモコモコ巻きのフォルムがかわいいです。東京では渋谷のMIYASHITA PARKのMIYASHITA CAFEでも食べられます。

#福岡県 #カルピジャーニ #SNS映え

**ダイミョウソフトクリーム
大名本店**

福岡県福岡市中央区大名1-11-4
☎092-791-1594　営12:00~21:00
金土祝前日 12:00~23:00
ソ提供時間：同上　休元日
https://daimyosoftcream.com/
Instagram：@daimyosoftcream_jp

12 自然放牧ソフトクリーム

check »

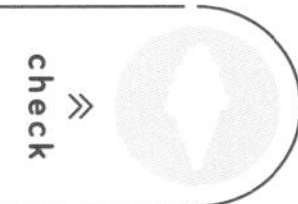

¥レギュラー501円／プチ391円／ラージ701円

特典●来店者が1人の場合、大盛り(+1巻き)、来店者が2人以上の場合、プチを1つサービス

牧場系ソフトクリームはどこで食べてもハズレなしですが、日本橋タカシマヤショッピングセンターで食べられる岩手県「なかほら牧場」の「自然放牧ソフトクリーム」がとくにおすすめです。こちらで使っているのは、一年中、山に放牧する「山地(やまち)酪農」のストレスフリーな牛から搾った最高級の牛乳。低温殺菌で手間暇かけて、高いクオリティへと仕上げられています。カルピジャーニのマシンを使っていて、舌触りも素晴らしいです。

#岩手県 #東京都 #カルピジャーニ

なかほら牧場

東京都中央区日本橋2-5-1
日本橋タカシマヤS.C. 新館 地下1階
☎03-6262-1651
営10:30~20:00
ソ提供時間：同上
休元日のみ
https://nakahora-bokujou.jp/
Instagram：
@nakahora_bokujou

13 牛乳屋さんのソフトクリーム

check »

¥440円 特典●トッピング無料

1940年創業、老舗「宮野乳業」の牛乳をたっぷり使った、牛乳感満載の絶品ソフトクリーム。原料はもちろん、殺菌方法にまでこだわった牛乳のおいしさがダイレクトに伝わってきます。食べ進めるうちに口の中が牛乳の味に慣れてしまうので、フレッシュな一口目を大切に、集中して食べてみてください。トッピングや、飲料と合わせたフロートもありますが、牛乳のおいしさを純粋に堪能したいので、私はいつもソフトクリームそのままを楽しんでいます。

#東京都 #牛乳

牛乳屋さんのソフトクリーム

東京都杉並区阿佐谷南 3-10-3
☎03-3392-3012
営平日 11:00~18:00
土日祝日 11:00~18:30
ソ提供時間：同上
休不定休
https://homemilk.co.jp/softcream/
Instagram：
@miyano_milk_products

milk 牛乳系 ソフト

牧場ソフトと
人気のバウムが
夢のコラボ

14
ASO MILK FACTORY

15
氷菓子屋
KOMARU

ミシュラン1つ星
シェフ監修の
もっちりソフト

映えの先駆者！
見た目も味も
まさに芸術

17
アイスクリーム専門工房
ついんスター

16
MINI SOF

あのソフトを
自己流に
カスタムできる

人気かき氷店
が作る
牧場ソフト

18
かんな＋plus

14 バウムソフト

check »

¥500円

特典●おまかせトッピング無料(春のバラまつりin2024開催期間いっぱいまで有効)

開放感ある空間でソフトクリームやアイス、チーズやお菓子などが販売されていて、レストランで食事も楽しめる「ASO MILK FACTORY」。熊本県のソフトクリームはジャージー牛乳が多いなか、このお店は阿部牧場のホルスタイン牛乳を使っていて、カルピジャーニから抽出してくれます。「バウムソフト」を注文すると、店舗で焼き上げる人気のバウムクーヘンとおいしい牛乳ソフトの最高の組み合わせを楽しめます。「バラ祭り」開催期間は食用バラのトッピングをしてくれます。

#熊本県 #カルピジャーニ #カフェ

ASO MILK FACTORY

熊本県阿蘇市小里781
☎0967-23-6262
営9:30〜18:00
ソ提供時間：同上
(水曜のみ17:00まで)
休なし
https://asomilk.com/
Instagram：
@asomilkfactory

15 黒崎ソフトクリーム

check »

¥450円

特典●黒崎ソフトクリーム50円引き(全店で有効)

ミシュラン1つ星獲得シェフが監修したソフトクリームが食べられるお店です。ベースのソフトクリームは、熊本産ジャージー牛乳を使った店舗オリジナル。もっちりとしていて、逆さまにしても落ちません！　目の前で豪快にチョコ漬けにしてくれ、そのパフォーマンスも楽しめます。また、チョコレート以外の限定ソフトも季節ごとに登場します。店内ではコーヒーと合わせてゆっくり座って食べることもできます。22年10月に薬院店が移転オープンし、23年9月、小倉に新店舗がオープン。

#福岡県 #もっちり濃厚 #カフェ

氷菓子屋KOMARU 黒崎本店

福岡県北九州市八幡西区
八千代町13-5
☎093-644-2032
営11:00〜19:00
ソ提供時間：同上　休不定休
https://komaru-ice.com/

16

北海道バニラ＋トッピング各種

check »

¥390円／トッピングは＋50円〜

ミニストップのソフトクリーム専門店。北海道産牛乳のソフトクリームに、さまざまなトッピングをして自分だけのソフトクリームを楽しめます。とくにクッキーはそのまま食べてもサクサクで、ディップしても絶品です。

#東京都 #神奈川県 #トッピング豊富

MINI SOF 東武百貨店 池袋店

東京都豊島区西池袋1-1-25
東武百貨店 池袋本店 eatobu内B1F 10番地
☎03-6912-5532 営10:00〜20:00
ソ提供時間：〜19:45
休東武百貨店に準ずる
https://www.ministop.co.jp/minisof/
Instagram:@minisof_jp

17

芸術ソフト

check »

¥420円

特典●アイス替え玉 1回無料（当日限り）

映えの概念がまだなかった2000年からこの美しいフォルムで提供されています。西日本最大級の酪農王国・熊本の牛乳がベースで味も抜群。ほんのりとバニラ感も漂い、牧場牛乳系とは少し異なった仕上がりです。

#熊本県 #SNS映え #バニラ感

アイスクリーム専門工房 ついんスター

熊本県菊池市旭志麓1584-4
☎0968-37-4556
営9:00~17:00
ソ提供時間：同上　休木曜（祝日営業）
https://ice-twinstar.com/
Instagram:@twinstar20000101

18

ソフトクリーム（沖縄県産EM玉城牛乳使用）

check »

¥390円

特典●トッピング（沖縄産マンゴーソース）無料

沖縄の北谷町にある「かんな＋plus」は、ふわふわのかき氷を沖縄らしいフルーツソースで楽しめる人気店。メインはもちろんかき氷ですが、沖縄では珍しい牧場牛乳を使ったソフトクリームもとてもおいしいです。沖縄県産EM玉城牛乳を使用していて、牛乳感満載。ソフトクリームをベースにしたパフェもおすすめで、ドラゴンフルーツやシークヮーサー、紅芋などのソースがたっぷりかかっていてちんすこうもトッピングされており、こちらも絶品です！

#沖縄県 #パフェ #果物系

かんな＋plus

沖縄県中頭郡北谷町宮城1-722
ベイリッジマンション1階
☎098-988-5688
営12:00〜19:30（月曜のみ〜19:00）
ソ提供時間：〜閉店30分前
休不定休
Instagram：
@kanna_plus

牛乳系ソフト

こだわりのジェラートと
ふわふわソフトの
ハーモニー

19
ジェラテリア Natu-Lino

21
北海道ライブマルシェ

全国高速道路
ソフトクリーム
ランキング1位に
なったことも

20
神戸六甲牧場北野本店

道内人気のソフトを
神奈川県で
食べ比べ!?

chocolate

チョコレート系ソフト

珍しい
ホワイトバージョンの
チョコソフト

22 Chocolat BEL AMER

23 CRAFT CHOCOLATE WORKS

クラフトチョコ専門店。
不定期で
カカオの産地が
変わります

19 ジェラートソフト

check »

¥700円／カップ600円

地元食材を使ったこだわりのジェラートが各種並んでいますが、ソフトクリームも絶対に食べておきたいお店。「ジェラートソフト」を注文すると、好みのジェラートとソフトクリームを組み合わせて食べることができます。ソフトクリームは、地元小松牧場から直送される新鮮牛乳を使い、カルピジャーニから溶けるか溶けないかのギリギリの温度でふわふわ抽出してくれます。ふわふわなホイップ感と新鮮な牛乳の風味が最高にたまらない仕上がりです。

#宮城県 #ジェラート #カルピジャーニ

ジェラテリア Natu-Lino

宮城県名取市飯野坂南沖93-1
☎022-397-8235
営 9:30〜17:00
ソ提供時間：同上
休木曜
http://www.natu-lino.jp/
Instagram：
@natu_lino

20 スペシャルミルク

check »

¥500円

「スペシャルミルク」は自社の牧場牛乳を使い、調合も自社で行い、カルピジャーニから抽出されるおいしくて濃厚な牧場ソフトクリームです。イベント出店がきっかけで定番メニュー化された「ピスタチオプレミアム」との食べ比べがおすすめ。

#兵庫県 #カルピジャーニ #食べ比べ

神戸六甲牧場 北野本店

兵庫県神戸市中央区北野町3-11-4
☎078-252-0440
営10:00〜18:00
ソ提供時間：同上
休無休
https://www.rokkobokujyo.com/
Instagram:@rokkobokujyo

21 ソフトクリーム2種

check »

¥各432円

グランツリー武蔵小杉内にある北海道のセレクトショップでは、道内で鉄板のおいしい牧場牛乳ソフトクリームの食べ比べができます。カントリーホーム風景（写真左）はサッパリあっさり。ノースプレインファーム（写真右）はまるで生クリームのように濃厚な牛乳感を堪能できます。

#神奈川県 

#食べ比べ

北海道ライブマルシェ グランツリー武蔵小杉店

神奈川県川崎市中原区新丸子東3-1135-1
グランツリー武蔵小杉1階
☎044-750-9685　営10:00〜21:00
ソ提供時間：同上　休無休
https://hokkaido.livemarche.com/
Instagram:@hokkaidolm

チョコレート系ソフト

チョコレートと一口で言っても、
カカオの品種や産地などにより、
味わいが大きく違うのです。

22 ショコラソフトクリームホワイト（写真右）

check »

¥660円

気温・湿度の変化が激しい日本で質の高いショコラを作るために、厳密に温度・湿度を管理したショコラ専門のソフトクリーム。「ショコラソフトクリームホワイト」は、チョコレートソフトクリームでは珍しいホワイトバージョン。オリジナルの配合と、バニラビーンズで上品に仕上げたミルキーで苦みのない食べやすい仕上がりになっています。カカオ本来の味を味わいたい方は、「ショコラソフトクリームビター」（写真左）がオススメ。

#東京都 #ショコラ専門店 #ホワイトチョコ

Chocolat BEL AMER 紀尾井町

東京都千代田区紀尾井町1-3
東京ガーデンテラス紀尾井町
紀尾井タワー 1F
☎03-6256-9907 営10:30〜19:00
ソ提供時間：同上（月曜メンテナンス休）
休年末年始
https://belamer.jp/
Instagram：@belamer_official/

23 カカオソフトクリーム

check »

¥700円

三軒茶屋と池尻大橋の間くらいにある、クラフトチョコ専門店。専門店のチョコソフトはビターでカカオ感満載な味わいが多いですが、このお店では生チョコをそのまま冷たくソフトクリームにした感じ。食感もざらっとしたチョコ感が残っています。使われているカカオの産地は不定期に変わるようで、訪問時はコロンビアトゥマコのカカオでした。カカオニブがトッピングされていたり、コーンにもチョココーティングがされています。ジャージーミルクソフトやハーフ&ハーフもありますが、迷わずカカオソフト一択だと思います。

#東京都 #クラフトチョコ #カカオの産地が変わる

CRAFT CHOCOLATE WORKS

東京都世田谷区池尻2-7-4
☎03-5787-6528
営水〜日曜 11:00〜18:00
ソ提供時間：同上
休月・火曜（祝日営業）
https://www.craft-chocolate-works.com/
Instagram：
@craft_chocolate_works

チョコレート系ソフト

カカオが持つ
アロマを
楽しんで

24
MAGIE DU CHOCOLAT

25
シルスマリア

生チョコ発祥の
専門店の
ソフトクリーム

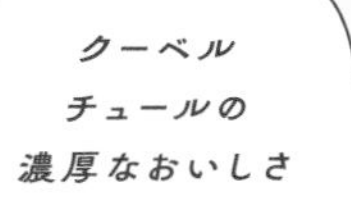

26
川越ショコラ Bromagee

tea&coffee

お茶・コーヒー系ソフト

※27：季節商品との入れ替えなどで、取り扱いのない場合がございます。

24 カカオソフトクリーム ミックス

check »

¥620円 特典●次回以降使えるソフトクリーム無料券プレゼント

チョコレート専門店のカカオソフト。ビターチョコ、ミルクチョコ、ミックスの3種類から選べます。ソフトクリームに使われているカカオは週によって変わるのが、マジドゥショコラの特徴。写真はタンザニア75とパプア36のカカオ。それぞれの風味を生かす分量にすることで、カカオが持つアロマを楽しめるそうです。ミルクチョコレートは甘すぎず、まろやかでおだやか。ビターはほんの少し酸味があり、凛としていました。ワッフルコーンもサクサクしていておいしいです。

#東京都 #チョコ専門店 #カカオの産地が変わる

MAGIE DU CHOCOLAT

東京都世田谷区奥沢6-33-14
☎03-6809-8366 営10:00～19:00
ソ提供時間：同上
（イートイン～L.O 17:30） 休火曜
https://magieduchocolat.jp/
Instagram：
@magieduchocolat

25 生チョコソフトクリーム（ミルク）

check »

¥500円

生チョコ発祥のお店のソフトクリーム。ミルクとビターの2種類があり、人気商品「公園通りの石畳シルスミルク」と「シルスビター」がそれぞれ使われています。一口目から濃厚ですが、ミルクチョコが入ることでマイルドに。いつまでも舌に残る幸福なチョコ感が最高です。

#神奈川県 #生チョコ #チョコ専門店

シルスマリア CIAL桜木町店

神奈川県横浜市中区桜木町1-1 CIAL桜木町
☎045-264-4974 営10:00～21:00
ソ提供時間：同上 休CIAL桜木町に準ずる
https://www.silsmaria.jp/
Instagram:@silsmaria1982

26 ベルギー産チョコソフト

check »

¥350円 特典●トッピング追加1つ無料

川越一番街にあるチョコレート専門店。ソフトクリームにはベルギー産の最高級チョコ・クーベルチュールが使われており、カルピジャーニから抽出されます。濃厚で冷たい生チョコのような舌触り。トッピングのチョコ菓子は不定期に変わるようです。

#埼玉県 #チョコ専門店 #カルピジャーニ

川越ショコラBromagee

埼玉県川越市幸町1-9
☎049-277-4831 営10:00～17:00
ソ提供時間：同上 休無休
http://bromagee.co.jp/
Instagram:@bromagee_kawagoe

tea&coffee

お茶・コーヒー系

ソフト

日本ならではの抹茶やほうじ茶を筆頭に、
近年ではあらゆる味わいが
楽しめるようになりました。

27 ウバティーソフトクリーム（写真右）

check »

¥590円 ※単品はテイクアウトのみ

厳選した茶葉を使ったティーラテ専門店のCHAVATYでは、ウバやほうじ茶など、お茶のソフトクリームが食べられます。東京は表参道に店舗がありますが、京都の嵐山店は渡月橋のすぐ側にあり、絶景を眺めながらお茶を堪能することができます。太巻きのCHAVATYオリジナル「ウバティーソフトクリーム」は、スリランカ産のクオリティシーズン・ウバを丸ごと使用した濃厚でほんのり渋さが美味。これに甘さ控えめのウバアイスティーラテを組み合わせると絶品フロートに変身します。

CHAVATY

東京都渋谷区神宮前4-6-9
南原宿ビル 1階
☎なし　営10:00～20:00
ソ提供時間：同上　休無休
https://chavaty.jp/
Instagram：
@chavaty_japan

28 ほうじ茶ソフト

check »

¥450円

大正3年創業老舗お茶屋さんが提供する人形町名物ほうじ茶ソフトクリーム。人形町方面に行くときは必ず立ち寄りたくなるお店で、日本一おいしいほうじ茶といわれる「金色の極上ほうじ茶」を使ったソフトクリームです。濃く出しても渋くならないというお茶の特徴そのまま、濃厚で上質なほうじ茶を甘くソフトクリーム仕様に仕上げてくれています。ソフトクリームは1階店舗でのテイクアウトのみですが、店前にベンチがあるのでそこで食べることができます。

自家焙煎ほうじ茶の店
森乃園

東京都中央区日本橋人形町 2-4-9
☎03-3667-2666
営10:00～19:00
ソ提供時間：同上
休年始
https://morinoen.jp/
Instagram：
@morinoen_hojicha

お茶・コーヒー系ソフト

海鮮料理の
デザートに
ぴったりの
コーヒーソフト

30

珈琲 センリ軒

29

鎌倉茶々

抹茶の濃厚さが
選べる
贅沢抹茶ソフト

伊藤園ならではの
抹茶づくしの
ソフトクリーム

31

茶寮伊藤園

※31：2023年10月現在、抹茶コーンは販売休止中。

MIKADO
Since 1948
軽井沢でも
有名な
名物ソフト
32
ミカド珈琲店

伊都岐珈琲
34
伊都岐珈琲
伊
都
岐
珈
琲
宮島で
人気を集める
コーヒースタンド

砂丘を見ながら
ソフトクリームで
一服
33
鳥取砂丘会館

29 抹茶っ茶ソフト プレミアム

check »

¥690円

3年連続で農林水産大臣賞を受賞した茶園の極上本抹茶を使用しているお店です。「抹茶っ茶ソフトプレミアム」は1g100円する極上抹茶のみを贅沢に使い、苦くなる手前まで練り込んだ濃厚な風味が楽しめます。5段階の濃さから選べる抹茶っ茶ジェラートも人気。

#神奈川県 #お茶専門店 #濃さが選べる

鎌倉茶々　御成店

神奈川県鎌倉市御成町12-1
☎0467-24-8820
営10:00～19:00（季節で変動あり）
ソ提供時間：～18:30　休不定休
https://kamakura-chacha.com/

30 ミルコーソフト

check »

¥460円（テイクアウト390円）

大正3年創業の老舗喫茶店「センリ軒」は、市場の方々に愛されているお店。「ミルコーソフト」は、北海道牛乳と自家製珈琲を組み合わせたミルクコーヒーソフト。コーヒー感が強くほろ苦い味わいに、北海道牛乳のミルク感と甘みが加わり絶妙なおいしさです。

#東京都 #コーヒー #喫茶店

珈琲 センリ軒

東京都江東区豊洲 6-5-1 水産仲卸売場棟3階
☎03-6633-0050
営5:00～13:00
ソ提供時間：同上
休日曜祝日、市場に準ずる

31 抹茶ソフトクリーム

check »

¥480円（テイクアウト471円）

特典●抹茶ソフトクリーム5%割引

お茶で有名な伊藤園は、各所でお茶のスイーツやソフトクリームを販売する店舗を展開しています。なかでもここの「抹茶ソフトクリーム」は、専門店ならではの濃厚な味わいで、横浜ハンマーヘッド店でしか食べられない、抹茶の生地でできた手焼きコーンと楽しめます（現在は販売休止中。再開時期未定）。他にも「ほうじ茶ソフトクリーム」や「紅茶ソフトクリーム」などがあり、白玉やあんこなどと一緒に楽しむことができます。

#神奈川県 #お茶専門店 #抹茶

横浜ハンマーヘッド 茶寮伊藤園

神奈川県横浜市中区新港2-14-1
☎045-263-9987
営10:00～21:00
ソ提供時間：同上
休ハンマーヘッド SHOP&RESTAURANT の休日に準ずる

32 ミカド珈琲のモカソフト®

check »

¥650円(テイクアウト480円)

1948年創業のコーヒーロースター。今や軽井沢名物となったミカド珈琲の元祖は、こちらの日本橋本店です。「モカソフト」は半世紀以上も愛されているオリジナルコーヒーソフトで、苦みがなくカフェオレのようなマイルドさがあり、甘さ控えめさっぱり風味です。ミカド伝統のコーヒーのおいしさも堪能できます。朝早くからやっているので、モーニングコーヒーソフトや、ランチ後のデザートにもおすすめ。コーヒーフロート、モカエスプレッソなどのメニューもありますよ。

#東京都 #喫茶店 #コーヒー

ミカド珈琲店 日本橋本店

東京都中央区日本橋室町1-6-7
☎03-3241-0530
営平日7:00〜17:00、
土日祝10:00〜18:00
ソ提供時間:〜閉店30分前
休なし
https://mikado-coffee.com/
Instagram:
@mikado_coffee_1948

34 スペシャルティ コーヒーソフトクリーム

check »

¥450円

宮島にある珈琲専門店。珈琲スペシャリストが徹底的にこだわり抜いた珈琲を提供してくれます。ソフト自体は苦みのない、珈琲牛乳感漂う甘めの味わいですが、珈琲パウダーと一緒にいただくと、ピリッとした珈琲感が増して大人のおいしさになります。

#広島県 #観光地 #コーヒー #カフェ

伊都岐珈琲 宮島店

広島県廿日市市宮島町420
☎0829-30-6966 営9:00〜18:00
ソ提供時間:同上 休無休
https://itsuki-miyajima.com/
Instagram:@itsukicoffee

33 砂丘珈琲 ソフトクリーム

check »

¥500円 特典●50円引き

鳥取砂丘入口付近「鳥取砂丘会館」で売っている「砂丘珈琲ソフトクリーム」は、鳥取砂丘の砂で高温焙煎した名物「砂丘珈琲」のソフトクリームに、砂丘コーヒー粉がトッピングされています。鳥取砂丘からすぐなので、砂丘の絶景を見ながら食べるのもおすすめ。

#鳥取県 #観光地 #コーヒー

鳥取砂丘会館

鳥取県鳥取市福部町湯山2164
☎0857-22-6835
営9:30〜16:30
ソ提供時間:同上 休なし
https://sakyu.gr.jp/

fruits

果物系ソフト

35 渋谷西村フルーツ

季節ごとの
フルーツソフトが
楽しめる

36 BANANA FACTORY

濃厚な
バナナワールドに
ようこそ

※38：写真は旧店舗のものです。

フルーツをトッピングしたものから、
ソフトクリームそのものに混ぜ込んだものまで、
色鮮やかなものばかりです。

35 季節のフルーツソフト

check »

¥600円（季節の品により価格は異なります）

特典●100円引き

渋谷駅のスクランブル交差点すぐにある「渋谷西村フルーツ 道玄坂本店」。季節ごとに旬のフルーツを使ったソフトクリームが販売されており、老舗人気フルーツ店ならではの絶品フルーツソフトクリームが一年中食べられます。春は写真の「あまおうソフト」、夏は「ピーチヨーグルトソフト」秋は「シャインマスカットソフト」などなど。フルーツ専門店らしく果汁感たっぷりでジューシーです。私はフレーバーが入れ替わるたびに訪問しています。単品でもミックスでもおすすめ。

**渋谷西村フルーツ
道玄坂本店**

東京都渋谷区宇田川町22-2 1F
☎03-3476-2001
営9:30〜21:00
ソ提供時間：9:30〜20:30
休なし
https://snfruits.com/

36 生バナナソフトクリーム

check »

¥500円

特典●50円引き

押上駅近くにあるバナナスイーツ専門店。バナナを使ったケーキや焼き菓子が並びます。「生バナナソフトクリーム」は、受け取った瞬間からふわっとバナナの香りが漂います。見た目も真っ白ではない、バナナのあの独特の色味をしています。そして一口食べると、口の中に広がるバナナワールド。バナナをそのまま滑らかなクリーム仕立てにしたかのような濃厚さ。相性抜群のメープルコーンと、バナナチップのトッピングもうれしいですね。バナナ好き必食のソフトクリームです。

#バナナ

BANANA FACTORY

東京都墨田区向島3-34-17
☎03-6240-4163
営11:00〜19:00
ソ提供時間：同上
休火曜、水曜
Instagram：
@bananafactory877

季節のフルーツソフト

check »

¥800〜1700円（フルーツ時価）

特典●Instagram（@358daiwa）フォローでソフトクリーム大盛り

愛知県岡崎市の青果店「ダイワスーパー」が手がけるカフェ。八百屋さん運営ならではの厳選フルーツ＆スイーツが食べられます。ここでは季節ごとの旬のフルーツと、濃厚な牛乳感が楽しめるソフトクリームの組み合わせが最高。写真は、いちごとシャインマスカットです。これでもか！　というくらいのフルーツの量ですが、見栄えよくきれいに盛り付けされていて、テンションが上がります。天気のいい日はぜひテラス席で食べてみてください。

#東京都 

ダカフェ 恵比寿店

東京都渋谷区恵比寿南3-11-25
プリンススマートイン恵比寿1F
☎080-7139-6610
営6:30〜18:00
ソ提供時間：同上
休なし
https://358daiwa.com/
Instagram：
@358daiwa

38 原宿ベリーソフト

check »

¥518円（イートイン528円）

特典●「いちご」15％オフ

旬のフルーツを使用したフルーツサンドや、生フルーツゼリーが楽しめるフルーツ専門店です。ソフトクリームは神楽坂本店限定で、「原宿ベリーソフト」の1種類だけですが、とてもおいしいので要注目です。自社のいちご農園で作った「原宿ベリー」という高級いちごを使い、カルピジャーニから抽出してくれます。余計な加工をしていない純粋においしいミルクといちごから作られた、高級で上質ないちごミルクをそのままソフトクリームにして食べているような感じでした。

#東京都 #専門店 

#カルピジャーニ

ハピマルフルーツ 神楽坂 本店

東京都新宿区神楽坂 6-64
雅庵神楽坂1階
☎03-5261-2080
営日〜木：10:30〜19:00 金：〜21:00
土：〜19:30
ソ提供時間：〜18:30　休年末年始
https://hapimarufruits.jp/
Instagram：@hapimaru_fruits

fruits
果物系ソフト

ソフトクリームも
フルーツも
豪快なトッピング

39 ポテくり堂

40 とみた メロンハウス

41 TENTE

ソフトが
見えないくらい
盛り盛り

赤肉と青肉を
ソフトクリームで
食べ比べ

※41：提供可能なフルーツは季節によって異なります。

other

その他フレーバーソフト

濃厚な
極上
あずきソフト

42 京らく製あん所

43 横浜大飯店

杏仁ソフト
の元祖

44 BOUL'MICH（ブールミッシュ）

洋酒が香る
洋菓子店の
大人の味わい

※42：京都店、横浜そごう店ではソフトクリームの取り扱いはありません。

39 みかんボンボン（写真右）キウイボンボン（写真左）

check

¥右：780円／左：830円

特典●トッピング無料

兵庫県・明石の大久保駅近くにあるフライドポテトとソフトクリームの専門店。ソフトクリーム専門店「くりーむ堂」の姉妹店になります。豪快なフルーツトッピングが話題のお店で、自分流にカスタマイズできます。カップ底にはポン菓子、その上にはソフトクリーム、生クリーム、そして贅沢にフルーツをトッピングしてくれます。フルーツのジューシー&酸味、生クリームの甘さとソフトクリームの冷たさが加わり、口の中がお祭り状態。ポテトと一緒に何個でも食べられそうです。

#兵庫県 #トッピング #フルーツ

ポテくり堂

兵庫県明石市大久保町
松陰1119-6
☎078-934-2030
営12:30〜22:00
ソ提供時間：同上
休不定休
https://ke1s700.gorp.jp/

40 赤肉メロンソフト（写真右）青肉メロンソフト（写真左）

check

¥各450円

特典●ソフトクリーム50円引き

富良野メロンやメロンスイーツが販売されているメロンのテーマパークのようなお店。ソフトクリームはカルピジャーニから抽出してくれます。富良野メロン果汁をたっぷり使用したフレッシュなメロン感満載の赤肉と、さっぱり爽やかな青肉は食べ比べ推奨です。

#北海道 #メロン #カルピジャーニ

とみたメロンハウス

北海道空知郡中富良野町宮町3-32
☎0167-39-3333
営9:00〜17:00　ソ提供時間：同上
休オープン期間（6〜10月初旬）中無休
https://www.tomita-m.co.jp/

41 おにもりソフトクリーム

check

¥メロン＆巨峰800円（右）／
シャインマスカット（左）1500円

熊本城下城彩苑桜の小路にあり、熊本県産の旬の果物を贅沢に使ったソフトクリームが食べられます。阿蘇小国ジャージーソフトが見えなくなるまで大量にフルーツをトッピングしてくれる「おにもり」は、とてもきれいに映える盛り付けをしてくれるのがうれしい！

#熊本県 #フルーツ #SNS映え

TENTE

熊本県熊本市中央区二の丸1-14
城彩苑桜の小路
☎096-288-1092
営9:00〜18:00
ソ提供時間：同上　休なし

other

その他フレーバー

ソフト

定番の味とはひと味違う、
個性的なフレーバーを集めました。

42 生あんこソフトスペシャル

check »

¥660円

大阪の店舗では、こだわりのあんこを使った極上あずきソフトクリームが食べられます。種類はミルクソフトとあずきソフトの2種類、これに生あんこを選んでトッピングします。「生あんこソフトスペシャル」は、つぶあんとこしあん両方をソフトが見えなくなるくらいのせてくれ、白玉ともなかのトッピング付きです。

#京都府 #神奈川県 #小豆

京らく製あん所　うめだ阪急店

大阪府大阪市北区角田町8-7
阪急うめだ本店　地下2階
☎06-6313-1443　営10:00～20:00
ソ提供時間：～19:30　休元日
https://kyorakuseiansho.kyoto/

43 杏仁ソフトクリーム

check »

¥400円

杏仁ソフトクリームの元祖ともいわれており、1日3000本も売れた日があるという横浜大飯店の杏仁ソフト。アイスクリームの分類上、最も濃厚な「アイスクリーム」に分類され、本物の杏仁を使っているのでミルキーで芳醇な香りが口いっぱいに広がります。後味はすっきりしていて中華のシメにぴったり！

#横浜 #杏仁 #中華街

横浜大飯店

神奈川県横浜市中区山下町154
☎045-641-0001
営10:30～21:30
ソ提供時間：同上　休無休
http://www.yokohamadaihanten.com/

44 GINZAソフト

check »

¥テイクアウト611円／イートイン622円

特典●50円引き

高級感あふれるフランス菓子が人気の「ブールミッシュ」。パリで修業し、世界各国の洋菓子コンテストで多数の受賞歴をもつ吉田菊次郎氏がプロデュースしたソフトクリームが「GINZAソフト」です。フランスのオレンジリキュール、グランマルニエを使用しており、ほんのりとアルコールが効いた中にオレンジの香りと風味が広がる、大人の味わいのソフトクリームです。アルコールは約1.5%まで抑えられ、お酒が苦手な人でもおいしくいただけますよ。

#東京都 #洋菓子店 #グランマルニエ

ブールミッシュ銀座本店

東京都中央区銀座1-2-3
☎03-3563-2555
営10:00～19:00
ソ提供時間：11:00～18:00
休無休
https://www.boulmich.co.jp/
Instagram：
@boulmich_official

other

その他フレーバーソフト

ヨーグルト店
自慢の
濃厚ソフト

46

ヤスダヨーグルト

45

長坂養蜂場

目の前で
たっぷりはちみつを
かけてくれます

47

Sd Coffee

銭湯風カフェで
湯上がり気分の
ソフトクリーム

creative

創作系ソフト

48

Tempura Motoyoshiいも

有名天ぷら店の
天ぷらとソフトクリーム
夢の競演

東京最強
たいやき店の
夏限定ソフト

49

恵比寿たいやき ひいらぎ

45 はちみつソフトクリーム

check »

¥レギュラー450円／スモール350円（カップ300円）

特典●50円引き

浜松で大人気のはちみつ専門店「長坂養蜂場」。はちみつ専門店が作った「はちみつソフト」が絶品です。はちみつを練り込んだソフトクリームに、さらに目の前で追いはちみつをたっぷりかけてくれるワクワクの演出も楽しめます。ぜひスマホで動画の撮影を。

#静岡県 #はちみつ #専門店

長坂養蜂場

静岡県浜松市北区三ヶ日町下尾奈97-1
☎0120-40-1183
営9:30〜17:30
ソ提供時間：同上　休水曜、第2火曜
https://www.1183.co.jp/
Instagram：@nagasaka_apiary

46 ソフトクリーム

check »

¥350円

新潟を代表する「ヤスダヨーグルト」のソフトクリーム。ヨーグルト風味ではなく、濃厚なミルク味をしています。「アイスinソフト」は中にフローズンヨーグルトが入っており、新潟県産生乳の甘いソフトとさっぱりしたヨーグルトの組み合わせを楽しめます。

#新潟県 #ご当地 #ヨーグルト

ヤスダヨーグルト 新潟駅ビルCoCoLo 南館店

新潟県新潟市中央区花園1-1-21 CoCoLo南館 3F
☎025-384-0290
営10:00〜19:00
ソ提供時間：同上　休なし
http://www.yasuda-yogurt.co.jp/
Instagram：@yasuda_yogurt_official

47 チョコミントシェイク

check »

¥850円

北千住にある昭和の雰囲気漂う銭湯風カフェ「エスディコーヒー」は、ソフトクリームの新しい食べ方ができるお店です。常時20種類ほどあるシェイクは牛乳瓶に入っていて、さまざまなアレンジが加えられています。写真は大好きなチョコミント。通常サイズの牛乳瓶にびっしり入ったソフトクリーム（固めのシェイク）にミント、パリパリチョコが混ざっています。イートインのシェイクは牛乳瓶、テイクアウトはカップでの提供ですのでご注意ください。

#東京都 #チョコミント #牛乳瓶

エスディコーヒー 北千住

東京都足立区千住4-19-11
サーパスビル1F
☎03-6806-1013
営11:30〜18:00
ソ提供時間：同上
休火曜
Instagram：
@sdcoffee1010

creative

創作系ソフト

ソフトクリームと他のスイーツを組み合わせた、お店のオリジナリティが光るソフトクリームたちです。

48 塩そふと丸十

check »

¥750円

恵比寿にある有名な天ぷら屋「天ぷら 元吉」が手掛ける、さつまいも天ぷらのテイクアウト専門店です。「塩そふと丸十」は、見た目そのまま、ソフトクリームに「丸十」というさつまいもの天ぷらをトッピングしたものです。糖度の高い厳選された丸十を使っており、天ぷら元吉の高級油と特殊技術を駆使して1時間以上じっくり火入れをすることで、おいしさが最大限に引き出されています。ほんのり塩け漂う塩そふとの組み合わせが絶品です（残念ながら、2023年12月28日に閉店予定）。

#東京都 #さつまいも #天ぷら

Tempura Motoyoshiいも

東京都渋谷区代官山町20-6
☎03-6455-2240
営12:00〜16:30
ソ提供時間：同上
休不定休
Instagram：
@motoyoshi_imo

49 たいやきソフト

check »

¥600円

1匹30分もかけて焼き上げるサックサクの生地に、あんこがびっしり詰まった、東京最強ともいわれるたいやき屋さん。行列のできる人気店です。「たいやきソフト」は夏限定のレア商品。ソフトクリームにたいやきをトッピングしただけのシンプルな商品ですが、あつあつサクサクのたいやきと、冷たくて濃厚なミルク系ソフトクリームのコンビネーションが最高なんです。無くなり次第終了になりますので、閉店を待たずしてなくなる日もあるそうです。

#東京都 #たいやき #夏限定

恵比寿たいやき ひいらぎ

東京都渋谷区恵比寿1-4-1
恵比寿アーバンハウス1階
☎03-3473-7050
営10:00〜売り切れ次第
ソ提供時間：同上（夏季限定）
休不定休
Instagram：
@ebisutaiyakihiiragi

creative

創作系ソフト

50 和栗専門 紗織

口の中で溶ける
繊細な
モンブラン

サクサクの
エクレアの上に
抹茶ソフト

ソフトと
ジェラートいいとこどり

51 ピカタの森 アイス工房

52 MALEBRANCHE（マールブランシュ）

※55：写真の商品の提供時間は、土曜日だけ異なります（18:00まで）。

50 1mm和栗のモンブランソフト～綾～

check »

¥1200円

注文ごとに目の前で繊細なモンブランを作ってくれる、しぼりたてモンブラン発祥のお店です。1mm和栗の名前の通りとにかく細くて、口の中で溶けていく感覚が独特です。写真はこのモンブランと、自家製ブレンドソフトクリーム、メレンゲを組み合わせた一品。最初はケーキのモンブランを食べているかのような感覚で、あとからソフトクリームのおいしさが出てきます。サックサクのメレンゲ、ホロホロのシュトロイゼル（ソボロ状のクッキー）との相性も抜群です。

和栗専門　紗織

京都府京都市下京区
木屋町高辻上る和泉屋町170-1
☎075-365-5559
営10:00～18:00（L.O.17:30）
ソ提供時間：同上
休不定休
https://wagurisenmon-saori.com/
Instagram：
@wagurisenmon.saori

52 お抹茶アイスエクレア 茶茶棒

check »

¥401円

京都各所に展開している洋菓子店「マールブランシュ」の嵐山店限定「茶茶棒」。絶品クッキーエクレアと、お濃茶ラングドシャ「茶の菓」と同じ抹茶を使ったソフトクリームの組み合わせが最高です。注文をするとその場で作ってもらえます。

#京都 #抹茶 #エクレア

マールブランシュ 嵐山店

京都府京都市右京区嵯峨天龍寺門前
嵐山昇龍苑1F
☎075-862-5656　営10:00～17:00
ソ提供時間：同上（なくなり次第終了）
休なし
https://www.malebranche.co.jp/
Instagram：@malebranchekyoto

51 ソフト・ア・ラ・ピカタ

check »

¥500円

特典●1グループにつきソフトクリーム50円引き（百貨店の北海道展「ピカタの森駒ヶ岳牛乳」でも利用可）

新鮮な駒ヶ岳牛乳を使ったアイスやソフトが食べられる店。低温殺菌で風味を損なわないよう仕上げられたソフトクリームを、カルピジャーニから抽出してくれます。「ソフト・ア・ラ・ピカタ」はソフトと選べるジェラートのセット。写真はくりりんかぼちゃジェラートです。

#北海道 #ジェラート #カルピジャーニ

ピカタの森アイス工房

北海道茅部郡森町赤井川 81-3
☎01374-5-2323　営9:00～17:30　ソ提供時間：同上
休火曜（季節変動あり）、冬季休業
https://www.pikatanomori.com/
Instagram：@komagatake_milk

53 お好きなプリン&プリンソフトクリーム

check »

¥1430円〜

ビーカーに入った手作り焼きプリンの専門店「MARLOWE」のソフトクリームは、プリンを使ったカスタード味です。店内では10種類以上のプリンとソフトクリームの組み合わせが楽しめます。たっぷりカラメルソースのかかったプリンとプリンソフトの組み合わせは至福。

#神奈川県 #プリン #専門店

MARLOWE BROTHERS COFFEE そごう横浜店

神奈川県横浜市西区高島2-18-1 そごう横浜B2F
☎045-465-2111
営10:00〜20:00
ソ提供時間：〜19:30　休そごう横浜店に準ずる
https://www.marlowe.co.jp/
Instagram：@marlowe_official

54 オリジナルソフトクリーム

check »

¥700円（テイクアウト500円）

店舗全体が真っ白に統一されたおしゃれなカフェで食べられるソフトクリーム。カルピジャーニから抽出された濃厚ミルク系ソフトはハイクオリティ。自家製のプリンの上にしぼってくれます。朝9時からの営業なので、朝の京都観光ついでに立ち寄れるのもうれしいです。

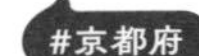

#カフェ

#カルピジャーニ

Walden Woods Kyoto

京都府京都市下京区栄町508-1
☎075-344-9009
営9:00〜18:00
ソ提供時間：同上　休なし
http://www.walden-woods.com/
Instagram：@waldenwoodskyoto

55 蜜芋クロッフル 焼き芋3種&ソフトクリーム

check »

¥1680円

特典●インスタフォローで「蜜芋クロッフル」を「蜜芋クロッフル 焼き芋3種&ソフトクリーム」にグレードアップ（※2024年5月まで/平日限定）

多種多様なお芋スイーツが食べられる「& OIMO TOKYO CAFE」は、中目黒が最寄りではありますが、恵比寿駅からも徒歩圏内。「蜜芋クロッフル焼き芋3種&ソフトクリーム」は、店こだわりの焼き芋3種の食べ比べが楽しめます。写真は紅はるか、ふくむらさき、安納芋。お芋クリームまみれのサックサクでバター香るクロッフルと、ミルクソフトの組み合わせ。シナモンのアクセントもさわやかで、いっそうおいしい世界へ連れて行ってくれます。

#東京都

& OIMO TOKYO CAFE 中目黒店

東京都目黒区青葉台1-14-4
CONTRAL nakameguro 1F
☎03-6416-4908　営月〜金:11:00〜18:00
土〜21:30　日祝:〜19:00
ソ提供時間：〜L.O.（閉店1時間前）
休なし
https://cafe-nakameguro.and-oimo-tokyo.com/
Instagram：@and_oimo_tokyo_cafe

column 1

ミニストップとソフトクリーム

1980年に1号店「大倉山店」を神奈川県横浜市にオープン。ファストフードを組み合わせた「コンボストア」がコンセプトだった。

1980年に創業したミニストップは、競合他社との差別化のため、目玉のひとつとしてソフトクリームを取り入れ、以来40年以上にわたって、店頭でソフトクリームを提供してきました。

看板商品「バニラソフト」は、オリジナルのソフトクリームミックスを使用。時代ごとに都度、味を見直しながらアップデートされてきました。原料には北海道生乳と生クリームが使用されており、北海道の牧場で食べているような濃厚なミルク感が楽しめます。

1996年に二連ソフトフリーザーが導入され、バニラともうひとつ、限定フレーバーを販売するようになりました。「プリン」「ベルギーチョコ」「安納芋」など、その時代や流行を彩ってきました。

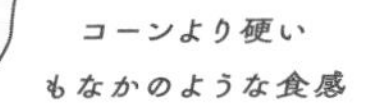

プラスチックの削減に向けて、「食べるスプーン」を2023年6月より導入。コーン製のスプーンで、ソフトクリームを1本食べても耐えられるほど丈夫。

ソフトクリームの知識や品質管理、既定の量を美しい形にしぼれるかなど、独自の「ソフトクリームマイスター制度」を導入している（現在停止中）。

バニラに次ぐフレーバーとしてのチョコは2002年からベルギーチョコソフトを長年販売。22年からは環境に配慮したカカオチョコソフトを販売。

コーンについても独自で開発したものが使われており、底が平たいのが特徴。量がたくさん入るうえ、置いても倒れないようになっています。

2003年には、ミニストップ独自の「ソフトクリームマイスター制度」が導入されました。筆記と実技からなる試験をぐぐり抜けたマイスターたちは、規定通りの量や形にしぼれるほか、機械の知識なども豊富。制服に付けられた「マイスターバッジ」がその証拠です。

2020年にはソフトクリーム専門店「MINISOF（ミニソフ）」1号店がオープン。ミニストップを代表するバニラソフトを、いろいろなトッピングとともに楽しめるお店になっています。

ソフトクリームの可能性を追求し続けるミニストップ。その活動や商品の数々に今後も注目していきたいです。

column 2

ソフトクリームがよりおいしくなる「口作り」のすすめ

甘じょっぱさで
もう1本
いけちゃう!?

新千歳空港でのソフトクリーム活動に欠かせないのは、「らーめん空 新千歳空港店」の「焼きとうきびラーメン」。

門出ソフト（P63）の運営元・天神屋では、静岡名物のおいしいおでんも楽しめる。

観光地のソフトクリームは種類が多く、ついつい何本も食べたくなってしまいます。しかし1本食べ終えると、口の中が冷たく甘くなっているので、2本目の味がぼやけてしまうのです。

そんなときにおすすめしたいのが「口作り」です。ソフトクリームをよりおいしく食べるために、別の食べ物をいったん挟むのです。冷たくて甘いソフトクリームとは真逆の、温かくてしょっぱい食べ物がベスト。口の中がリセットされ、フレッシュな状態で次の1本をよりおいしく食べられます。

ご当地ラーメンやその土地の名物料理を食べることが多いですが、フライドポテトや自販機の温かいスープにすることも。お酒とおつまみのような感覚でしょうか。ソフトクリームを連食する際はぜひ試してみてください。

chapter

3

ジャンル別 推しソフト

映える見た目や銘菓とのコラボ、
販売場所が道の駅や観光地であるなど、
おいしさ以外にも注目したい
個性ぞろいのソフトクリームを、
「ジャンル」として区切って選びました。

produce

プロソフトクリーマーのソフト

SLをイメージした
漆黒とグレーの
インパクト

56

A STATION KIOSK

57
門出ソフト
味の濃さが
3段階で選べる
お茶ソフト
門出ソフト
門出ソフト
門出ソフト
門出ソフト
門出ソフト

produce

プロソフトクリーマーのソフト

私がプロソフトクリーマー
としてプロデュースした、
こだわりのソフトクリームを
紹介します。

56 SLソフト

check »

¥500円

特典●ソフトクリーム大盛り

2020年、大井川鐵道に35年ぶりに誕生した新駅「門出駅」。その構内にオープンした全国初のSLソフト専門店です。大井川鐵道との取り組みで、私がソフトクリームをプロデュースしました。SLをイメージした漆黒のソフトクリーム、煙をイメージしたグレーのソフトクリーム、漆黒とグレーのコントラストが美しいミックスの3種類。駅のホーム直結ですので、タイミングが合えば通過するSLを眺めながら食べることができます。

A STATION KIOSK

静岡県島田市竹下62
KADODEOOIGAWA
レストラン側北側
☎0547-39-3920
営10:00〜17:00（水曜〜16:30）
ソ提供時間：同上
休第２火曜、元日

57 プレミアム煎茶ソフト

check »

¥620円〜

特典●ソフトクリーム大盛り

お弁当、お惣菜、おむすび、そして静岡のソウルフード「しぞーかおでん」を販売する「天神屋」。その新業態となるソフトクリーム専門店は、私がプロデュースさせていただきました。ここでしか食べることのできない、地元の高級煎茶を使った濃さが3段階から選べるソフトクリームをはじめ、しぞーかおでん味噌、安倍川餅風、うす茶糖など静岡名物ソフトも多数ラインナップされています。

#SNS映え

門出ソフト

静岡県島田市竹下62
KADODEOOIGAWA施設内
☎0547-39-3910
営10:00〜18:00（火曜〜17:30）
ソ提供時間：同上
（煎茶ソフトのみ〜17:00）
休第２火曜、元日

ソフトクリームをプロデュース

プロソフトクリーマーとして活動を続けていると、雑誌やメディアへの出演はもちろん、ソフトクリームのプロデュースを行ってほしいと依頼される機会が増えました。右ページのソフトクリーム店に加え、期間限定商品として、テレビ局のイベント限定のタピオカソフト、ポップコーン店のサンデー、道の駅のご当地ソフトなどを考案してきました。

私がソフトクリームをプロデュースするときは、いつも「話題性」と「新しさ」を大切にしています。「プレミアム煎茶ソフト」では、お茶ソフトでもめずらしい高級煎茶を使うことにしました。味の濃さが選べる仕組みは、アイスクリームではよくあるのですが、ソフトクリームでは見たことがなかったので、取り入れてみました。「ＳＬソフト」は、名物が食べものではないからこそ、竹炭を使用してインパクトのある黒色にしました。色をより黒くしようとすると、ソフトクリームフリーザーが詰まってしまい、大変でした。いずれも、ソフトクリームの写真を見たときに「あのお店のソフトだ」と思ってもらえる仕上がりだと思います。今後も、新しいソフトクリームを次々プロデュースしていきたいと思います。

いずれは全国各地で、自分のプロデュースしたソフトクリームが販売される……というのが私の夢です。

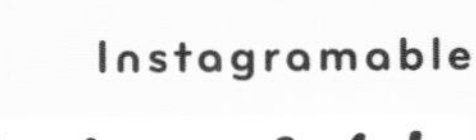

Instagramable

SNS映えするインパクトソフト

色や模様が
ジンベエザメに
そっくり

59

海遊館 ドリンクスタンド「SEA SAW」

58

HAKATA ICE

まるで
雪だるまのよう！

箸で食べる!?
インパクト大の
10段巻きソフト

60

マルカンビル大食堂

62

パンヤ

ソフトクリームが
そのまま入った
圧巻のビジュアル

食べると
まるで
いちご大福！

61

いちごBonBonBERRY
ATAMI HOUSE.

たっぷり巻かれた
衝撃的な
コーヒーフロート

64

BLUE BLUE
CAFE

小田原提灯形の
ソフトクリームと
もなかの組み合わせ

63

漁港の駅
TOTOCO小田原

Instagramable

SNS映えするインパクトソフト

思わず写真に撮りたくなる
ビジュアル抜群ソフトを
紹介します。

58 はかたあいす

check »

¥430円　特典●インスタフォローで50円引き

福岡駅や西新駅近くの夜アイス専門店。りんご飴やフルーツを使ったパフェなどもあります。ソフトクリームはカルピジャーニからふんわりと抽出されたもので、かつて日本にあった「デイリークイーン」を彷彿させる雪だるま式。糸島産の生ミルククリームを使っていて濃厚です。

#福岡県　#カルピジャーニ　#ミルク感

HAKATA ICE 西新店

福岡県福岡市早良区城西3-21-27
美食街B-dish 1-101B
☎092-400-0754
営15:00～24:00
ソ提供時間：同上(L.O. 23:45)　休なし
Instagram：@hakata_ice_nishijin

59 ジンベエソフト

check »

¥440円

海遊館の人気者、ジンベエザメがソフトクリームで表現されています。鮮やかな水色はラムネ味で、背中の水玉模様は砂糖菓子。青と白のコントラストが美しいです。エントランスビルの2階にあり、入館せずとも購入可能。館内では4階のカフェでも購入できます。

#大阪府　#水族館　#ラムネ

ドリンクスタンド「SEA SAW」

大阪府大阪市港区海岸通1-1-10
海遊館エントランスビル2階
☎06-6576-5501（海遊館インフォメーション）
営海遊館に準ずる
ソ提供時間：同上
休海遊館に準ずる

60 ソフトクリーム

check »

¥260円

特典●1階レジにてオリジナルソフトクリームステッカープレゼント

岩手県・花巻駅から歩いて15分ほどにある「マルカンビル」の食堂で食べられる名物ソフト。2016年に施設の閉館が決まっていましたが、存続を求める署名活動やクラウドファンディングの甲斐あって、2017年に復活オープンしました。ソフトは圧倒的ビジュアルとボリュームで、高さ25cm、10段巻と、通常のソフトクリームの約2倍。卵不使用で、オーソドックスなミルク味です。地元の方々は、これを割り箸で食べています。

#岩手県　#10段巻　#箸で食べる

マルカンビル大食堂

岩手県花巻市上町6-2
マルカンビル6階
☎0198-29-5588
営平日11:00～15:30、土日祝11:00～18:30
ソ提供時間：同上（L.O.閉店30分前）
休水曜
X（旧Twitter）：@MarukanShokudo

61

いちご大福ソフト

check »

¥600円　特典●50円引き

熱海でかわいいいちごソフトクリームが食べられるお店。コーンにあんこを入れ、その上にいちごとミルクのミックスソフト、カステラ、求肥を被せ、ホイップクリーム&いちご果肉がトッピングされています。求肥とソフトとあんこの組み合わせはまさにいちご大福！

#静岡県　#いちごスイーツ専門店　#いちご大福

いちごBonBonBERRY ATAMI HOUSE.

静岡県熱海市田原本町3-16
☎0557-55-9550　営10:00〜18:00
ソ提供時間：同上　休なし
http://www.atami-bonbonberry.com/
Instagram：@atamibonbonberry

パンヤのクリームソーダ

check »

¥600円

大阪・玉造駅が最寄りのフォカッチャ専門店。爽やかなソーダ水に、ソフトクリームをコーン丸ごとドーンとのせたクリームソーダは、圧巻のビジュアル！　ベースのソフトは1種類ですが、コーヒーフロート、コーヒーゼリーソフトなど豊富なラインナップです。

#大阪府　#丸ごとドーン　#ビジュアル抜群

パンヤ

大阪府大阪市東成区東小橋1-2-4
☎06-7505-9919
営11:00〜17:00
ソ提供時間：同上
休火曜、第3水・木曜
Instagram：@panya_focaccia

63

小田原提灯ソフト

check »

¥550円　特典●50円引き（クーポン併用不可）

「小田原提灯ソフト」は、名物の小田原提灯をソフトで再現。きんたろう牛乳ソフトをサクサクのもなかでサンドしていて、小田原の文字の部分も食べられます。魚形のもなかがトッピングされた「激突！プリンソフト」などラインナップのワクワク感がすごいお店です。

漁港の駅TOTOCO小田原 小田原漁港プリン

神奈川県小田原市早川1-28
小田原漁港交流促進施設1F
☎0465-20-6336　営9:00〜17:00
ソ提供時間：同上　休なし
https://www.totoco-odawara.com/
Instagram：@totocoodawara

64

コーヒーフロート

check »

¥825円

名古屋駅から電車で約40分、西岡崎駅すぐのフラワーショップ併設カフェです。自家製プリンの上にたっぷり巻かれたソフトがのった「BBプリン&ソフト」が名物ですが、「コーヒーフロート」も人気。ソフトを口に含み、コーヒーといただくのが至高です。

BLUE BLUE CAFE

愛知県岡崎市昭和町北浦37-1
☎0564-31-8733
営月〜金11:00〜18:00、土日〜20:00
ソ提供時間：同上（土日祝15:00〜）
休火曜、第1・3・5金曜
https://www.blueblucafe.com
Instagram：@blueblue_blueblue.jp

Famous confectionery

銘菓コラボ系ソフト

山梨を
代表する銘菓が
ソフトクリームに

65

桔梗信玄餅工場テーマパーク

66

EXPASA 海老名（下り）

チョコがけしても
おいしい
東京ばな奈
ソフトクリーム

「誉の陣太鼓」の
小豆や求肥の
おいしさそのまま
68
お菓子の香梅
熊本城香梅庵
うなぎパイ
ソフトクリーム
じゃないけど
おすすめしたい
67
うなぎパイ
ファクトリー

ガトーラスクの
おいしさが
引き立つ
ソフトクリーム
69
ガトーフェスタ
ハラダ
GATEAU FESTA HARADA
PATISSERIE CREATIONS
GATEAU FESTA HARADA

各地域で親しまれている銘菓を
使っているもの、
味をイメージして
いるものを紹介します。

65 桔梗信玄ソフト

check »

¥540円

山梨県笛吹市の菓子メーカー「桔梗屋」が誇る大人気商品「桔梗信玄餅」のソフトクリーム。桔梗信玄餅、桔梗屋オリジナルの黒蜜、きな粉という極上の組み合わせが堪能できます。もらってうれしいお土産ランキングで常に上位に位置する桔梗信玄餅の新しい食べ方にハマる人も多いです。工場のほか、SAや山梨のアンテナショップなどでも食べられます。現在は桔梗信玄棒がプラスされた「桔梗信玄ソフト＋」として販売されています。

#山梨県 #桔梗信玄餅 #催事でも人気

桔梗信玄餅工場テーマパーク

山梨県笛吹市一宮町坪井1928
☎0553-47-3700
営9:00〜17:00
ソ提供時間：同上
休なし
http://kikyouya.co.jp/

66 東京ばな奈ソフトクリーム

check »

¥ばな奈味450円（チョコがけばな奈味490円）

ふわふわのスポンジにバナナクリームが入った人気のお土産「東京ばな奈」。このソフトクリームが食べられるのは、海老名サービスエリア（下り）のみです。完熟バナナのピューレを使い、東京ばな奈に入っているバナナカスタードをそのまま再現したようなこっくり滑らかな風味に仕上がっています。チョコがけのありなしが選べますが、パリッパリに固まったチョコとバナナソフトの相性が最高すぎるので、チョコがけをオススメします。

#東京ばな奈 #SA #バナナ

EXPASA海老名（下り）SASTAR2

神奈川県海老名市大谷南5-2-1
☎046-232-5051
営24時間営業
ソ提供時間：9:00〜20:00
休なし
https://www.tokyobanana.jp/
Instagram：
@tokyobanana_jp

67 うなぎパイジェラート

check »

¥500円

「うなぎパイ」の製造工程が見学できる「うなぎパイファクトリー」でしか食べられないジェラートは、ソフトクリームではないですが必食。うなぎパイをブレンドした自家製ミルクジェラートに、うなぎパイをトッピング。ジェラートをうなぎパイですくって食べると最高です。

#静岡県 #うなぎパイ
#ソフトクリームじゃないけど紹介したい

うなぎパイファクトリー 移動カフェ うなくん号

静岡県浜松市西区大久保町748-51
☎053-482-1765
営10:00〜17:30
ソ提供時間：〜17:00　休火曜・水曜
https://www.unagipai-factory.jp/
X（旧Twitter）：@shunkado_unakun

68 陣太鼓ソフト

check »

¥432円（イートイン440円）

昭和24年創業の「お菓子の香梅」。桜の馬場城彩苑内にある香梅庵や熊本駅店などでは看板商品「誉の陣太鼓」のソフトクリームが食べられます。ミルク感強めのソフトクリームに、陣太鼓をブレンド。北海道産大納言小豆たっぷりのみずみずしいあずきあんを感じられます。

#熊本県 #小豆
#陣太鼓

お菓子の香梅 熊本城香梅庵

熊本県熊本市中央区二の丸 1-1-2
城彩苑桜の小路
☎096-288-0039　営9:00〜18:00
ソ提供時間：L.O.17:30　休なし
https://kobai.jp/
Instagram：@kobai_jindaiko

69 ソフトクリーム・デ・ロワ

check »

¥440円〜

群馬県を代表するラスクの超有名店「ガトーフェスタ ハラダ」。全国で4店舗だけソフトクリームを提供しており、グランスタ東京店もそのひとつです。ソフトクリームに看板商品のガトーラスク「グーテ・デ・ロワ」が添えられています。味はミルク、ダークチョコレート（10〜4月）、抹茶（5〜9月）、ミックスがあり、追加料金であんこのトッピングができます。カップの底にも砕いたガトーラスクが入っており、最後の一口まで楽しめます。

#群馬県 #東京都 #ラスク

ガトーフェスタ ハラダ グランスタ東京店

東京都千代田区丸の内1-9-1
JR東京駅構内 地下1階改札内
☎03-6269-9422　営10:00〜21:00
ソ提供時間：〜20:00　休なし
https://www.gateaufesta-harada.com/
Instagram：
@gateaufesta_harada.official

銘菓コラボ系ソフト

パフェで引き立つ
芋ようかんソフト

70
ふなわかふぇ

72
SKY GARDEN 300

71
豊島屋洋菓子舗
置石

Roadside station&SA

道の駅・SAのソフト

70 芋ようかんソフトパフェ

¥935円

芋ようかんで有名な和菓子屋「舟和」。浅草の仲見世3号店では、芋ようかんソフトが大人気です。単品でもおいしいですが、ふなわかふぇで食べられる「芋ようかんソフトパフェ」もおすすめです。芋ようかんソフトに生クリーム、お芋ペースト、玄米フレーク、さつまいもクリーム、芋ようかんをトッピングした極上パフェ。いろんな食材と組み合わせることによって、食べるうちにどんどんおいしくなっていきますよ。

#東京都 #浅草 #芋ようかん

**ふなわかふぇ
浅草店**

東京都台東区雷門2-19-10
☎03-5828-2703
営10:00～19:00
ソ提供時間：～18:40（木曜のみ～15:30）
休不定休
https://funawa.jp/

71 置石ミックス

check »

¥400円

「鳩サブレー」で有名な豊島屋が運営する洋菓子中心の店舗。ぜひ食べてほしい「置石ミックス」は、バニラソフトクリームにあのお菓子を練り込んだ、世界でここでしか食べられないソフトクリームです。あのサックサクの食感は、間違いなくおいしい組み合わせです。

#神奈川県 #鎌倉

#あのお菓子

豊島屋洋菓子舗　置石

神奈川県鎌倉市小町2-15-5
☎0467-22-8102
営10:00～18:30　ソ提供時間：同上
休水（祝日営業）
https://www.hato.co.jp/shop/okiishi

72 パインアメ ソフトクリーム

check »

¥550円

「あべのハルカス」展望台に登らないと食べられないレアなソフトクリーム。催事などで販売されることはありますが、こちらのお店ではいつでも楽しめます。大阪名物の「パインアメ」を練り込んだソフトクリームに、クラッシュしたアメがトッピングされています。

#大阪府

#あべのハルカス展望台 #パインアメ

SKY GARDEN 300

大阪府大阪市阿倍野区阿倍野筋1-1-43
あべのハルカス58階 ハルカス300展望台内
☎06-4399-9181　営9:30～22:00
ソ提供時間：～21:30　休あべのハルカスに準じる
Instagram：@skygarden300

各地の名物が集まる道の駅やSAは
ご当地ソフトクリームがたくさん!
その一部を紹介します。

73 プレミアムびわソフトクリーム

check »

¥520円　特典●50円引き

びわソフトで有名な道の駅。日本で初めて本物のびわを使用したソフトを販売したお店で、毎朝自社工場で原料を作っている本格派です。「プレミアムびわソフトクリーム」は、濃厚ミルクソフトにシャーベット状のびわ果肉を加え、注文を受けてからブレンドして抽出してくれます。冷凍びわのシャリシャリとした食感は、他のびわソフトと一線を画しています。びわの葉を使ったソフト(写真左)もあるのでぜひ食べ比べてみてください。

#千葉県 #びわ #シャリシャリ食感

**道の駅
とみうら枇杷倶楽部**

千葉県南房総市富浦町青木123-1
☎0470-33-4611
営平日10:00〜17:00
土日祝9:15〜17:00
ソ提供時間:同上　休無休
https://www.biwakurabu.jp/

74 野国いもソフトクリーム

check »

¥300円
特典●ソフトクリーム大盛り

米軍嘉手納飛行場が一望できる展望台が人気の道の駅です。ソフトクリームは4階の展望台にある「スカイラウンジカデナ」で売っています。「野国いもソフトクリーム」は、嘉手納近辺でしか獲れない希少な野国いもを使ったソフトクリーム。ここでしか食べられない、いも独特の濃厚で甘みたっぷりな味わいをぜひ楽しんでみてください。飛行機の離発着を見ながらおいしいソフトクリームを食べることができます。

#沖縄県 #野国いも #飛行場

**道の駅 かでな
「スカイラウンジカデナ」**

沖縄県中頭郡嘉手納町屋良
1026-3 4F
☎098-956-0707
営平日10:00〜16:00
ソ提供時間:同上
休不定休
https://michinoeki-kadena.jp/

道の駅・SAのソフト

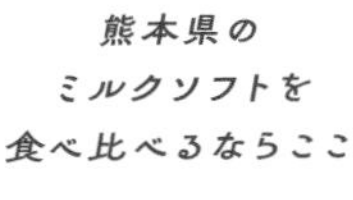

76

道の駅 阿蘇

はちみつと
菜の花を使った
大人気ソフト

75

道の駅 よこはま
「菜の花プラザ」

77

道の駅 大栄

名産に
ちなんだ
ソフトクリーム

78

道の駅 おおぎみ
やんばるの森
ビジターセンター

シークヮーサー
ならではの
風味と酸味

80

道の駅 うずしお

玉ねぎスープの
ような
やさしい風味

79

安達太良SA（下り）

福島県が誇る
ソウルドリンク
の味わい

75 菜花ソフトクリーム

check »

¥380円　特典●100円引き

菜の花で有名な横浜町。5月の「菜の花フェスティバル」にはたくさんの人で賑わいます。大人気のソフトクリームは、はちみつと菜花の芽を細かく刻んで原料に加えた、手間暇かけて作られた一品。1日1000本以上売れる日も。

#青森県　#菜の花　#菜の花はちみつ

道の駅よこはま「菜の花プラザ」

青森県上北郡横浜町字林ノ脇79-12
☎0175-78-6687　営4～10月 8:30～18:00、11～3月 9:00～17:30
ソ提供時間：9:00～16:00（12月下旬～3月中旬休止）
休不定休（1～3月火曜休）
https://www.nanohana-plaza.com/
X（旧Twitter）：@yokohamamati

76 ソフトクリーム3種

check »

¥ミルクソフト各430円／ヨーグルトソフト450円

阿蘇の牧場ミルクソフト2種類と、ヨーグルトソフトが楽しめる道の駅です。牧場牛乳ソフトはカルピジャーニから、ヨーグルトソフトは日世のサーバーからそれぞれ抽出してくれますが、機械や味の食べ比べができますので、ここに来たからにはソフトクリーム3本食べ比べしてみましょう。

#食べ比べ　#カルピジャーニ

道の駅 阿蘇

熊本県阿蘇市黒川1440-1
☎0967-35-5088
営9:00～18:00
ソ提供時間：9:30～17:00
休なし

77 スイカソフト

check »

¥350円　特典●定価の1割引き

大栄は、鳥取を代表するスイカの名産地。毎年シーズンに入ると「大栄西瓜」という大玉スイカが出回り、道の駅大栄でも販売されています。ここでは名産地にちなんで「スイカソフト」が食べられます。見た目はきれいなピンク色。スイカの加工品はハズレも多いイメージだったのですが、めちゃくちゃおいしいです。スイカの甘い香りとさわやかな風味が口いっぱいに広がります。スイカ以外にも、特産の長芋「ねばりっこ」など、季節に合わせた野菜が売られています。

#鳥取県　#すいか　#名産品

道の駅 大栄 テイクアウトだいば

鳥取県東伯郡北栄町由良宿1458-10
☎0858-37-5395
営平日 9:00～16:00
土日祝～17:00
ソ提供時間：同上
休不定休（月2～3日）

78 シークヮーサーソフトクリーム

check »

¥400円

特典●ソフトクリーム大盛り

沖縄県を代表する柑橘類「シークヮーサー」は大宜味村の特産品。この道の駅に併設された「パーラーくがに」では、珍しいシークヮーサーソフトクリームが楽しめます。ほんのり黄色いソフトは、受け取った瞬間から、濃厚な香りが漂ってきます。味はシークヮーサーならではの酸味が効いたあっさり味で、上にちりばめられたシークヮーサー果皮がアクセントになるよう仕上げられています。暑さを吹き飛ばすようなさわやかさは、沖縄の気候にぴったりです。

#沖縄県 #シークヮーサー #あっさり

道の駅 おおぎみ やんばるの森ビジターセンター「パーラーくがに」

沖縄県国頭郡大宜味村津波95
☎0980-44-2233
営平日11:00〜16:00
土日祝〜17:00
ソ提供時間：同上
休不定休
https://www.yambaru-vc.com/

79 酪王 カフェオレソフト

check »

¥480円

福島県民のソウルドリンク、酪王カフェオレ。そのまろやかな風味と絶妙な甘さを再現したソフトクリームです。酪王カフェオレを使ったアイスクリームも大人気で、最近は買える場所も増えてきました。いっぽうでソフトクリームは食べられる場所が限られていますので、見つけたら必食です！

#福島県 #ご当地 #酪王カフェオレ

安達太良SA（下り）

福島県本宮市
本宮平井228
☎0243-33-1250
営24時間
ソ提供時間：8:00〜20:00
休なし
Instagram：@naksada2019

80 あわじ島 玉ねぎソフト

check »

¥400円

「うずしおに一番近い」といわれる絶景の道の駅では、「全国ご当地バーガーグランプリ」で受賞経験のある「あわじ島バーガー」のハンバーガーがいただけます。淡路島名物の玉ねぎにちなんだソフトクリームは、玉ねぎスープのやさしい風味が感じられます。

#兵庫県 #玉ねぎ #玉ねぎスープ

あわじ島バーガー 淡路島オニオンキッチン うずまちテラス店

兵庫県南あわじ市福良丙947-8
道の駅うずしおinうずまちテラス
☎0799-52-1157 営9:00〜16:30
ソ提供時間：同上
休木曜（繁忙期、祝日は営業）、年末年始
Instagram：@awajishimaburger

81 箱根てゑらみす

どれにしようか迷う
個性ぞろいの
3種類

82 The Hakone Open-Air Museum Café

美術鑑賞の
あとに食べたい
くつろぎの味

青森の
名物を使った
絶品ソフト

84
ミルク工房 ボン・サーブ

83
森永のおかしなおかし屋さん

みんなが
慣れ親しんだ
キャラメル味

湯上がりに
温泉街の
みかんソフトを

85
10FACTORY

Tourist spots&hot springs

観光地・温泉地

ソフト

多くの人で賑わう観光地や温泉地は、
おいしいソフトクリームの宝庫。
とくに好きなものをご紹介します。

81 ティラミスソフト3種（ミルクマスカルポーネ、エスプレッソ、ティラミス）

check »

¥各500円／ティラミスのみ540円

特典●50円引き（2024年8月31日まで）

箱根湯本駅前のティラミス専門店。ソフトは3種類あり「ミルクマスカルポーネソフト」は、バニラ風味を感じるマスカルポーネが効いています。「エスプレッソソフト」は、手作業で深煎りしたそうけい珈琲の豆を使用し、ホロ苦ビターな仕上がり。「ティラミスソフト」は、上記がミックスされた、マイルドなカフェオレ風味。どれもおいしいので、複数人で行かれる場合は3種類の食べ比べがオススメです。1本だけ選ぶなら、私はティラミスソフト推しです！

#箱根 #ティラミス #食べ比べ

箱根てゑらみす

神奈川県足柄下郡箱根町湯本706-1
☎0460-85-5893
営10:00〜17:00
ソ提供時間：同上
休水曜、年末年始
https://www.hakone-teramisu.com/
Instagram：@hakoneteramisu

82 ソフトクリーム（足柄きんたろう牛乳）

check »

¥450円（※別途入館料）

芦ノ湖や大涌谷から箱根湯本方面へ向かう途中にある箱根観光名所。野外彫刻をメインとした美術館で、美術館や博物館の類は全く興味がない私でも、壮大なスケールと野外の開放感で楽しく過ごすことができました。ここのミュージアムカフェで食べられるのが、足柄きんたろう牛乳のソフトクリーム。神奈川県の酪農家が自然環境と牛乳の風味を大切に守り続けてきた、ふるさとの牛乳を使用。さっぱりとした味わいで、鉄板においしい牧場ソフトクリームでした。

#箱根 #美術館 #ミュージアムカフェ

The Hakone Open-Air Museum Café

神奈川県足柄下郡箱根町二ノ平1121
彫刻の森美術館内
☎0460-82-1141
営9:00〜17:00
ソ提供時間：9:00〜16:30　休なし
https://www.hakone-oam.or.jp/

83

森永ミルクキャラメル ソフトクリーム

check »

¥通常450円／キャラメルソーストッピング500円

東京駅直結の「東京おかしランド」内にある森永製菓のアンテナショップでは「森永ミルクキャラメル」のソフトクリームが食べられます。単体でもおいしいですが、森永ミルクキャラメルをトッピングしたり、キャラメルソースをかけたりもできます。トッピングのキャラメルとキャラメルソフトの2つの味わいを楽しんで。

#東京駅 #東京おかしランド #ミルクキャラメル

森永のおかしなおかし屋さん

東京都千代田区丸の内1-9-1　東京駅一番街
☎03-6269-9448　営9:00～21:00
ソ提供時間：～19:30　休なし
https://www.morinaga.co.jp/okashiya/

84

みるくソフト（写真左） ワインソフト（写真右）

check »

¥左:400円／右:420円　特典●ソフトクリーム大盛り

下北半島エリアにある絶品ソフトクリームが食べられるお店。斗南丘牧場の新鮮牛乳を使ったみるくソフトが楽しめるほか、「下北ワイン Kanon ロゼ」を使ったフルーティーなワインソフトも。アルコール分0.5%以下なので、車を運転する人でも食べられます。

#下北半島 #牧場 #ワイン

ミルク工房ボン・サーブ

青森県むつ市田名部内田42-606
☎0175-28-2888
営10:00～17:00
ソ提供時間：同上
休3/15～12/15無休、
12/16～3/14火曜休
Instagram：@bonsurb2888

85 みかんソフトクリーム

check »

¥420円　特典●トッピング無料

道後温泉商店街の中にある、ストレート100%ジュースが飲める専門店。「みかんソフトクリーム」は、季節によって最大2種類の品種から選ぶことができ、写真は「温州みかん」で、他には「河内晩柑」「甘夏」などもあります。店内はとにかくみかんづくしで、みかんのジェラートやビールなどさまざまな商品が楽しめます。道後温泉の湯上がりに必ず立ち寄りたいお店です。松山市内にも店舗があります。

#道後温泉 #みかん #品種が選べる

10FACTORY 道後店

愛媛県松山市道後湯之町12-34
☎089-997-7810
営9:30～19:30
ソ提供時間：～19:00　休無休
https://10-mikan.com/
Instagram：
@10factory_mikan

温泉地で
人気の
ご当地牛乳ソフト

86
山のいぶき

87
coral port
Grab&Go

ハイビスカスの
フルーティーで
ほどよい酸味

88

栃木県
アンテナショップ
とちまるショップ

東京観光中に
栃木名物も
楽しめる

89

MOTOTECA
COFFEE
KARUIZAWA

ロックスターも
絶賛した
伝説のソフト

90

JA糸島産直市場
伊都菜彩

糸島観光に
欠かせない
ご当地の味

86 和紅茶ミックス

check »

¥400円

特典●50円引き

熊本・阿蘇の人気温泉地「黒川温泉」エリアから徒歩圏内のお店。直営の「高村武志牧場」でとれた名物「山吹色のジャージー牛乳」は、「ご当地牛乳グランプリ」受賞歴のある人気商品。ジャージー牛乳を使ったカフェオレ、ヨーグルトなども楽しめます。写真は無農薬・無肥料栽培をした水俣「桜野園」の和紅茶を使ったソフトクリームと、「山吹色のジャージー牛乳」ソフトのミックス。濃厚でクリーミーな味わいは、まるで極上のロイヤルミルクティーです。

#直売所

黒川温泉 山のいぶき

熊本県阿蘇郡
南小国町満願寺6994
☎0967-44-0930
営11:00〜16:00
ソ提供時間：同上
休不定休
https://www.yamanoibuki.com/

87 あかばなぁソフト

check »

¥590円

下地島空港内にあるお店のソフトクリーム。幸せを運ぶ縁の花といわれる、宮古島産ハイビスカス「あかばなぁ」の花弁から抽出したエキスを使用したソフトクリームは、ほどよい酸味とフルーティーさがあり、南国宮古島にぴったりの味わい。飛行機チョコトッピングもかわいいです。ミルク系クリームではなく、超あっさりなシャーベットに近い食感で、暑い気候だと何本でも食べたくなってしまいます。ミルクとのミックスや、マンゴーソースがけなどもあります。

#ハイビスカス

coral port Grab & Go

沖縄県宮古島市
伊良部佐和田1727
☎0980-78-6603
営9:00〜19:00
ソ提供時間：〜18:30
休不定休
（台風等でクローズ有）

88 レモン牛乳ソフトクリーム

¥450円

特典●ソフトクリーム大盛り

栃木のソウルドリンク「レモン牛乳」がそのまま再現されたソフトで、栃木のアンテナショップなどで食べられます。レモン牛乳の加工品はアイスクリームも含め各所展開されていますが、ソフトクリームフリーザーから抽出される「レモン牛乳ソフトクリーム」を都内で食べられるのはうれしいですね。レモンの酸味は強くはなく、ミルキーでマイルドに仕上がっています。とちまるショップでは他にも、不定期に栃木県内の牛乳ソフトクリームが食べられますので要チェックです。

#スカイツリー #レモン牛乳 #栃木県

栃木県アンテナショップ とちまるショップ

東京都墨田区押上1-1-2
東京スカイツリータウン・ソラマチ
イーストヤード4F
☎03-5809-7280
営10:00〜21:00
ソ提供時間：12:00〜17:00
休ソラマチタウンに準ずる
http://www.tochimaru-shop.com/

89 ロイヤル スウィートバニラ

check

¥580円

軽井沢にある書店併設のカフェ。ここで食べられるのが通称「伝説のソフトクリーム」。各種コンテストで優勝実績のある、「カフェ・ド・ミノリヤ」の「ロイヤルスウィートバニラ」です。軽井沢のご当地ソフトとして有名で、ジョン・レノンが大絶賛したとか。やや茶色っぽい色で、独特の甘さがクセになります。

軽井沢書店 MOTOTECA COFFEE KARUIZAWA

長野県北佐久郡軽井沢町軽井沢大字 1323
☎0267-41-0344　営9:00〜19:00
ソ提供時間：〜17:00（季節・曜日変動あり）
休水曜（夏季変動有）
Instagram：@mototecacoffee.karuizawa

90 伊都物語 ソフトクリーム

check

¥各430円　特典●のむヨーグルト1本プレゼント

糸島の酪農家が育てた牛乳「伊都物語」を使った伊都物語直営のアイスクリーム専門店で、ミルク、バニラ、ミルクいちご、バニラいちご、ヨーグルト、コーヒーの6種類が販売されています。ソフトクリームのフリーザーから抽出されるのは、ヨーグルトとコーヒーのみ。地元の食材なども多数販売されています。

#牛乳 #糸島 #伊都物語

伊都物語直営店「伊都楽」

福岡県糸島市波多江567　伊都菜彩内
☎092-324-3131
営9:00〜18:00
ソ提供時間：〜17:00
休年始
https://www.itomonogatari.com/

養蜂家ならではの
食べる芸術品
巣房蜜ソフトクリーム

91
杉養蜂園

ソフトクリーマーも
大満足
定番人気の
シロノワール

92
コメダ珈琲店

94

麺匠の心つくし
つるとんたん

93

生クリーム専門店
Milk

95

ホテルショコラ
（HOTEL Chocolat.）

カカオ×カカオの
表現豊かな
味わい

※93：店舗によって提供の形状が異なります。

各地に店舗があるチェーン店の
ソフトクリームもまた絶品。
お気に入りの一部を紹介します。

91 巣房蜜ソフトクリーム

check »

¥830円

熊本県に本社を構えるはちみつ専門店・杉養蜂園では、その良質なはちみつを使ったソフトクリームが食べられます。ソフトクリームそのものに、はちみつを練り込んでいるので、口に含んだ瞬間に濃厚な風味を感じられます。砂糖の甘さとは一味違う、上品な甘さがクセになりますよ。一番のお気に入りは「巣房蜜ソフトクリーム」。ハニーワッフルと、蜂の巣がトッピングされていて、さらにはちみつがかかっているはちみつ三昧ソフトクリームです。

#はちみつ専門店 #はちみつ #蜂の巣

**杉養蜂園
麻布十番店**

東京都港区麻布十番2-1-3 1F
☎03-3454-0838　営11:00〜19:45
ソ提供時間：同上
休なし
https://www.0038.co.jp
Instagram：@sugi_bee_garden

92 シロノワール

check »

¥700円／ミニ500円（※店舗により異なる）

名古屋の喫茶店文化を支える「コメダ珈琲店」。いまや全国区の人気チェーンとなりました。それまで、ソフトクリームといえばコーンというイメージでしたが、あつあつのデニッシュと一緒にソフトを楽しめる「シロノワール」はとてもうれしい一品だと思いました。全国あらゆる場所でいただけて、着席でゆっくり食べられるのもチェーンの喫茶店ならではです。お皿にのせて提供される「ソフトクリーム」のビジュアルにも注目。

#愛知県 #喫茶店 #ソフト単品もおすすめ

コメダ珈琲店 本店

愛知県名古屋市瑞穂区上山町3-14-8
☎052-833-2888
営6:30〜23:30
ソ提供時間：同上
休なし
https://www.komeda.co.jp/
Instagram：
@komeda_coffee_official

94 つるとんたん特製 アイスクリーム

check»

¥500円

つるとんたんにオリジナルのソフトクリームがあるのをご存じでしたか？　まるでうどんのような滑らかさと、喉越しのよさが堪能できます。濃厚な生クリーム感満載で、ほんのりとした塩みが甘さを引き立てます。トッピングされたパイ＆ザラメとの相性も最高です。店によって提供スタイルが異なるようです。

#うどん店　#うどん入り　#関西風

つるとんたん UDON NOODLE Brasserire 銀座

東京都中央区銀座5-2-1 東急プラザ銀座 10F
☎03-6264-5326　営11:00～23:00
ソ提供時間：同上　休東急プラザ銀座に準ずる
http://www.tsurutontan.co.jp/
Instagram：@tsurutontan_official

93 北海道 ミルキーソフト

check»

¥450円　特典●50円引き

日本初の生クリーム専門店。こだわりの生クリームは、北海道根釧地区の最適な環境で育てられた生乳を原料とし、100種以上の試作から完成した究極のブレンド比率で、ふんわり口溶けのよい仕上がりとなっています。かわいい太巻きのルックスで人気に火が付いた「ミルキーソフトクリーム」や、パフェが定番です。

#生クリーム専門店　#SNS映え　#太巻き

生クリーム専門店 Milk ソラマチ店

東京都墨田区押上1-1-2
東京スカイツリータウン・ソラマチ 2F
☎03-6456-1415　営10:00～21:00
ソ提供時間：同上　休ソラマチタウンに準ずる
https://www.opefac.com/takeout-or-ec/milk/
Instagram：@milk20170701

95 ミックス 〈カカオソフト×ハスクミルク〉

check»

¥600円（カップ550円）

特典●ソフトクリーム注文時、カフェチョコ1個無料（ららぽーと富士見店を除く／イートイン限定）

イギリスのチョコレートブランド「ホテルショコラ」。店内のスペースでは、ソフトクリームやフラッペなどが提供されています。カカオソフトは、フルーティーな酸味とカカオの重み、ほろ苦さを感じる、ずっしりとしたチョコ感が堪能できます。ハスクミルクは、カカオの皮から香りを抽出した、サラッとしたミルク感を味わえます。ほのかに香るチョコの味わい、とろけるような舌触り。両方を一緒に食べて“味変”もオススメ。

#チョコ専門店　#カルピジャーニ

HOTEL Chocolat. GINZA SIX店

東京都中央区銀座6-10-1
GINZA SIX B2F
☎03-6264-6088　営10:30～20:30
ソ提供時間：同上　休GINZA SIXに準ずる
https://hotelchocolat.co.jp/
Instagram：
@hotelchocolat_japan_official

column 3

日本のソフトクリームと日世の歴史

1947年に日系二世が設立した「株式会社二世商会」が、のちの日世株式会社となる。社名を知らない人も、マスコットキャラクター「ニックン＆セイチャン」を知っている人は多い。

日本にソフトクリームが上陸したのは1951年。米軍の独立記念日7月3日に明治神宮外苑で行われた進駐軍主催のカーニバルで初めて販売されました。そのソフトクリームを日本にもってきたのは、アメリカ・カナダの日系二世たちが立ち上げた「株式会社二世商会」。もともとは外国人向けに日本土産を販売する会社でしたが、当時アメリカでソフトクリームが流行していることに注目。日本にも広めていこうと、フリーザーを10台輸入し、百貨店の食堂やレストランなどに設置することで、ソフトクリームを広めていきました。

1952年、二世商会は「日世株式会社」となり、翌年には国産コーンの生産が始まります。それまでは輸入に頼っていましたが、破損や湿気によっ

写真はソフトクリームの第二次ブーム、大阪万博時の光景。第一次ブームは、テレビ放送が始まったころ。プロレスラー・力道山の試合中継を見に来た客に、蕎麦屋がデザートとして提供したことがきっかけだという。

国産のコーンの製造を開始し始めた、昭和28年当時の看板。

独自技術でウェーブ状の美しいフォルムに

日世が誇るプレミアム生クリームソフト「クレミア」は、2013年の発売以来、大ヒットを記録。北海道産生クリーム25%、乳脂肪分12.5%の濃厚な味わいが特徴。

て使えないものも多かったといいます。

第一次ブームを迎えると、国産フリーザーの製造、ミックスの販売などソフトクリームのリーディングカンパニーとして成長していきました。

1970年の大阪万博では、会場に200台ものフリーザーが設置され、多くの人たちの舌を楽しませました。これをきっかけに日本全国に広まり、道の駅などで展開される「ご当地ソフト」の独自発展につながっていきました。

百貨店や万博など、その歴史にあるように、ソフトクリームは思い出や幸せを誰かと共有するツールでもあり続けてきました。昨今は冬にアイスがよく売れますが、ソフトクリームも人が集まる場所であれば季節を問わず人気です。夏よりも秋〜春のほうが、濃厚味がおいしく感じるかもしれません。

chapter

4

ソフトクリームの本場 北海道で食べたい 贅沢ソフト

北海道は酪農王国なだけあって、
あらゆる牧場の新鮮で上質な
牛乳ソフトクリームが食べられます。
人気ソフトが一堂に会する空港内には、
冬でも行列ができるほどの人気店も。

ソフトクリームの本場 北海道

酪農が盛んな北海道では、各地域ごとの新鮮でおいしい牛乳を使ったソフトクリームを楽しむことができます。ソフトクリームに使われていることの多い牧場をエリアごとにまとめました。

（プロソフトクリーマー森川調べ）

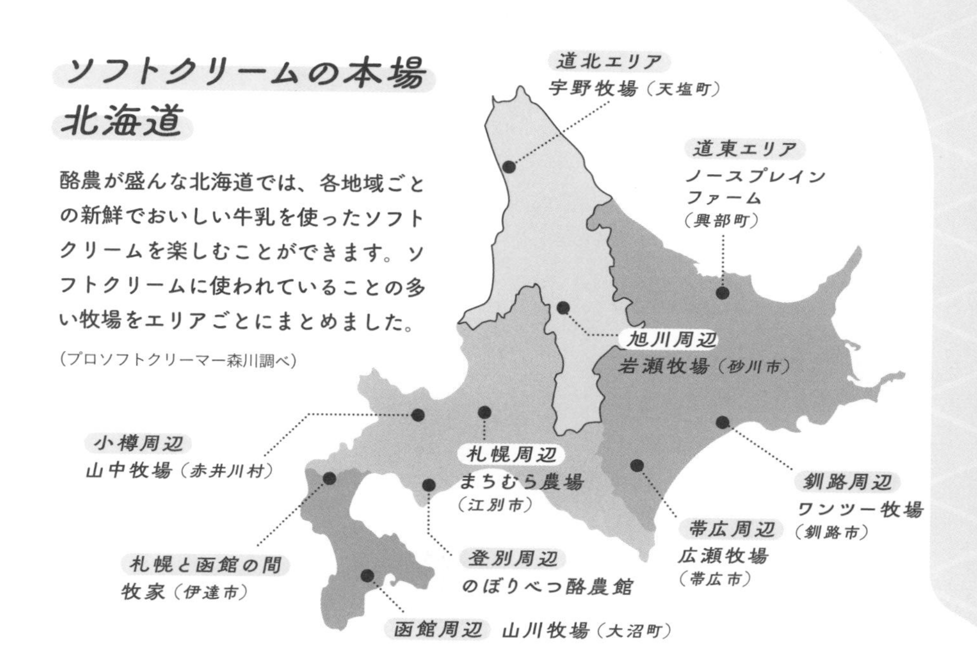

新千歳空港は ソフトクリームのテーマパーク

日本国内はもちろん世界の空港と比べても、新千歳空港のソフトクリームの豊富さはケタ違い。空港内だけで、ソフトクリームの取扱店舗は34店舗、ソフトクリームの種類は148ありました（2023年４月現在、パフェや季節限定含む）。酪農王国なだけあって、牛乳ソフトの選択肢が豊富。銘菓コラボ系ソフトや新千歳空港限定ソフトなど、ソフトクリームを食べるためだけに足を運びたくなるくらい豊富なラインナップです。

Hokkaido

北海道おすすめソフト

牛乳本来の味が
ダイレクトに伝わる一品

96

八紘学園
農産物直売所

チョコレート
専門店が作る
超濃厚カカオソフト

97

Lumière et ombre
(リュミエール エ オンブル)

98

SORA CAFE

オリジナル
ソフトクリーム
のパフェ

100

札幌農学校

99

ツキサップ農園

パリパリの
チョコディップが
おすすめ

ソフトクリームと
リキュールを
合わせていただく
シメパフェの先駆け

101

アイスクリーム BAR
HOKKAIDOミルク村

酪農が盛んな北海道ならではの
ソフトクリームから、
少し変わったものまでいろいろ集めました。

96 ツキサップソフトクリーム

check »

¥250円

北海道農業専門学校を運営する「八紘学園」の農産物直売所で売られているソフトクリームは、学園産の生乳を使った自家製ミックスを使用。牛乳本来の味がダイレクトに伝わってくる、札幌市内でも有数のソフトクリームだと思います。札幌ドームから徒歩20分、福住駅だと徒歩10分くらいなので、コンサートの合間や、スポーツ観戦の際などにぜひ立ち寄ってみてください。天気のいい日は、自然に囲まれた絶景の中でソフトクリームを楽しめますよ。

#農業専門学校 #牧場

八紘学園　農産物直売所

北海道札幌市月寒東２条13丁目1-12
☎011-852-8081
営10:00〜16:00
ソ提供時間：夏季営業日13:00〜15:30
休夏季４月中旬〜11月上旬：木曜
冬季11月中旬〜４月中旬：火〜金曜
https://hakkougakuen.ac.jp/
Instagram：
@hakkougakuen.tyokubaijyo

97 チョコフィヤンティーヌ

check »

¥500円

札幌市内の住宅街に隠れ家のように佇むお店。カカオ70%の超濃厚自家製チョコソフトに、チョコのフィヤンティーヌ（クレープ生地を薄く焼いたもの）がトッピングされています。ザックザクのフィヤンティーヌは、ソフトと相性抜群。ペロッと食べられる感動の一品です。

#チョコ専門店 #カカオ感 #ザクザク食感

リュミエール エ オンブル

北海道札幌市中央区南13条西23丁目2-3
☎なし
営11:00〜18:00（なくなり次第終了）
ソ提供時間：同上（イベント時は休み）
休火曜、水曜
X（旧Twitter）：@ombre_et

98 ベルシュタイン・ルーナ

check »

¥1760円　特典●ソフトクリーム大盛り

パフェやフロートに合うように作られたオリジナルソフトクリームが楽しめる店。盛り付けが美しく、ソフトはコップのふちに大きく盛られているので、中身と別々に堪能できます。牛乳感満載ながらあっさりしていてソーダ系飲料ともよく合います。

#カフェ #クリームソーダも人気
#季節のフルーツ

SORA CAFE

北海道札幌市南区簾舞３条６丁目1-26
☎011-211-0920　営11:00〜17:00
ソ提供時間：同上　休水曜
Instagram：@s０ra_cafe

放牧酪農ミルクソフト

check »

¥450円

「札幌農学校」のソフトクリームは、JR札幌駅店限定販売。直営牧場の放牧牛乳を使い、良質で新鮮な北海道の牛乳をしっかり堪能できる仕上がりです。店舗で焼き上げたミルククッキーがついているので、ソフトクリームと一緒に食べるとおいしいです。札幌駅必食ソフトです。

#札幌農学校 #直営牧場

札幌農学校 JR札幌駅店

北海道札幌市中央区北5条西2丁目
札幌ステラプレイス センター1F
北海道四季マルシェ内
☎011-590-4805 営9:00～21:00
ソ提供時間：同上 休なし
https://www.sapporo-nougakkou.com/

99

ソフトクリーム（チョコ）

check »

¥480円

通常の3倍以上の生クリームを使い「これ以上濃く作れない」というくらいの濃厚さで、カルピジャーニから抽出してくれるソフトクリーム。牛乳のみのソフトとは違った、生クリームの風味が満載です。チョコディップするとパリッパリに固まったチョコの食感も楽しめます。

#チョコディップ #超濃厚 #カルピジャーニ

ツキサップ農園

北海道札幌市豊平区月寒東3条16丁目5-21
☎011-851-8564 営10:00～20:00
ソ提供時間：～19:30 休なし
https://tukisapputorico.com/
Instagram：@tstkisapputorico

Aセット（オリジナルソフトクリームとリキュール2種、クレープ、ヨーグルト他）

check »

¥1500円

特典●20年物ブランデー（アルメニアナイリ）を1グループに1リキュールグラスサービス

札幌にシメパフェ文化が根付くずーっと前から営業している「ミルク村」。130種類以上のリキュールからお好みを選び、ソフトクリームにかけて食べられるお店です。キンキンに冷えたビールジョッキになみなみと注がれたオレンジ風味のソフトクリームは、何もかけなくても食べきってしまえるくらいのおいしさです。どのリキュールとも相性抜群ですが、バランタイン30年やヘネシーのリシャールなどプレミアムなお酒もあります（要追加料金）。

#リキュール #シメソフト

アイスクリームBAR HOKKAIDOミルク村

北海道札幌市中央区南4条西3丁目7-1
ニュー北星ビル6F
☎011-219-6455
営13:00～23:30（水曜のみ17:00～）
ソ提供時間：同上（L.O.23:00）
※混雑時はL.O.が早まる場合あり
休月曜

北海道おすすめソフト

103 JB ESPRESSO MORIHICO.

季節ごとに登場する
インパクトのある
カラーリング

102 道の駅 望羊中山

名物「あげいも」の
サクサク生地と
ソフトが好相性

104 まつもり農園 直売所

濃厚で甘～い
「みやこかぼちゃ」
のソフトクリーム

※102：2023年10月現在、ブランチ・プレミアムソフトクリームは販売休止中。

※105：写真のパフェは季節限定商品のため、現在は取り扱っておりません。定番メニューのパフェは、抹茶パフェ、フルーツパフェ、チョコレートパフェ、ナガヤマパフェなどがあります。

102 ブランチ・プレミアムソフトクリーム

check »

¥600円　特典●ソフトクリーム大盛り

中山峠名物の「あげいも」とコラボさせた絶品ソフトクリーム（現在は販売休止中。再開時期未定）。濃厚な北海道産牛乳のソフトにサックサクすぎるあげいも生地が大量にかかった新鮮な食感が衝撃でした。通常のプレミアムソフトクリームは、現在も販売中（500円）。

#あげいも　#ロ作り　#道の駅

道の駅望羊中山「北海道プロデュース230」

北海道虻田郡喜茂別町字川上345
☎0136-33-2671
営8:30〜17:30
ソ提供時間：9:00〜16:00　休なし

103 JBソフトクリーム

check »

¥500円〜　特典●50円引き

南郷18丁目駅にあるインパクト大なソフトクリームを提供しているお店です。「JBソフトクリーム」は、真っ黒なチョコや、真っ赤なストロベリーなどもあり、ミックスで注文すると鮮やかな色のコントラストを楽しめます。味は不定期に変わるので、訪問前に要チェック。

#コーヒースタンド　#森彦　#SNS映え

JB ESPRESSO MORIHICO. サイクルロード

北海道札幌市白石区南郷通19丁目南1-1
☎011-862-3939　営10:30〜20:00
ソ提供時間：L.O.19:30　休第2水曜
Instagram：@jb_espresso_morihico_c

104 みやこかぼちゃのソフトクリーム

check »

¥500円
特典●50円引き

札幌市手稲区の星置地区方面にあるまつもり農園直売所。新鮮な野菜や果物が並んでいて、直売所価格で購入することができます。併設されたキッチンカーで販売されているかぼちゃのソフトクリームは、自家製みやこかぼちゃをふんだんに使った超濃厚仕上げ。自然な甘さが漂うかぼちゃ感が最高においしいです。他にも、アスパラガスなど個性的なソフトクリームも登場するようなので、また行ってみたいお店です。

#直売所　#かぼちゃ　#キッチンカー

まつもり農園直売所 Vegetable Cross

北海道札幌市手稲区手稲山口538
（キッチンカー営業）
☎なし
営6月上旬〜10月上旬
（時期により変動）
ソ提供時間：変動　休変動
Instagram：@vegetable_cross

105 ソフトクリームパフェ各種

check »

¥1190円～

札幌市内中心部、バスセンター前駅が最寄りの「和洋折衷喫茶ナガヤマレスト」。北海道指定有形文化財の建物内にあり、昔懐かしの洋食メニューが豊富。そのすべてがフォトジェニックでおしゃれです。北海道十勝新得町北広牧場の搾りたて生乳を、風味を損なわないよう低温殺菌したものをカルピジャーニから抽出してくれます。このこだわりソフトを、パフェやフロートなどさまざまなアレンジで楽しむことができます。札幌中心部へのお買い物や観光時の休憩にいかがでしょうか。

#有形文化財 #低温殺菌 #カルピジャーニ

和洋折衷喫茶 ナガヤマレスト

北海道札幌市中央区北２条東
６丁目２番地
☎011-215-1559
営11:00~20:00
ソ提供時間：～19:00
休第２水曜
Instagram：@nagayama_rest

106 カマンベールソフト

check »

¥400円

特典●ソフトクリームお買い上げ時、お好きな味の一口サイズソフトクリーム（カップ）をプレゼント

北海道安平町のチーズ工房夢民舎直営のレストラン。代表商品であるカマンベールチーズが練り込まれたソフトクリームが食べられます。その濃厚な香りも味わいもチーズそのもの。

#カマンベール #レストラン #定食もおすすめ

レストランみやもと

北海道勇払郡安平町早来栄町85-1
☎0145-22-2131　営9:00～20:00
ソ提供時間：～19:00　休水曜・第３木曜
https://www.muminsha.com/

107 積丹ブルーソフト 積丹牛乳ソフト

check »

¥480円

海の青さに負けない「積丹ブルーソフト」はミント味。苦手な人は牛乳ソフトとミックスにするとミント感控えめでおいしくいただけます。駐車場から神威岬までの往復40分のハイキングは、出発前に「積丹ブルーソフト」、戻ってきて「積丹牛乳ソフト」がおすすめです。

しゃこたん土産と喰処 カムイ番屋

北海道積丹郡積丹町大字神岬町字
シマツナイ92番地
☎0135-46-5730　営10:00～16:00
ソ提供時間：同上　休～10月無休、11～４月中旬休
http://kamuibanya.co.jp/

北海道おすすめソフト

108 小樽 ミルク・プラント

味もサイズも豊富な
ソフトクリーム
専門店

110 道の駅 なないろ・ななえ

北海道の
ソウルドリンクを
ソフトで再現

109 アイス工房 田村ファーム Clover

これぞ北海道の
牧場牛乳ソフト！

※109：現在、コーンの種類は変更しています。

濃厚で
クリーミーな
のぼりべつ牛乳
ソフト

112
のぼりべつ酪農館

111
神宮茶屋

細巻きの
シルエットが
美しい

日本一甘いと
いわれる
かぼちゃのソフト

114
まるごと
北海道ストア
えぞりす

113 **ジェイ・グラッセ**
（J・glacée）

ソフトクリームに
アップルパイの
贅沢なパフェ！

108 レインボーA（写真右） レインボーB（写真左）

check »

¥右480円／左600円

小樽のソフトクリーム専門店。昭和11年創業の牛乳メーカー「北海道保証牛乳」が直営するアイス工房。ソフトクリームも楽しめます。フレーバーは11種類あり、さらにレギュラー、ロング、ジャンボ、NYジャンボとサイズも選択肢が豊富。チョコ・バニラ・ストロベリーの濃厚系「レインボーA」と巨峰・ヨーグルト・夕張メロンのあっさり系「レインボーB」を食べると全種類制覇できます。写真はなんと一番小さいMサイズ。倒れやすいので要注意！

#種類豊富 #サイズ豊富 #SNS映え

小樽ミルク・プラント

北海道小樽市花園2-12-13
☎0134-22-5192
営平日11:00〜18:00（10〜11月:〜17:30）
土日祝10:30〜18:00（10〜11月:〜17:30）
ソ提供時間：同上
休11月6日〜4月初旬まで冬季休業
Instagram：@otaru_milkplant

110 小原のガラナソフト

check »

¥350円（パチパチのせ+20円）　特典●50円引き

北海道のソウルドリンク「ガラナ」。地元小原のガラナを使って、見事にソフトクリームで再現されています。炭酸のシュワシュワ感をより堪能できるパチパチキャンディのせが圧倒的にオススメ。ガラナにガラナソフトをのせた「ガラナフロート」も販売有。

#ガラナ #パチパチ食感 #道の駅

道の駅 なないろ・ななえ

北海道亀田郡七飯町字峠下380-2
☎0138-86-5195　営9:00〜18:00
ソ提供時間：同上（11〜3月の木曜:〜17:00）
休年末年始　http://nanairo-nanae.jp/
Instagram：@nanairo.nanae

109 ソフトクリーム

check »

¥360円

特典●ソフトのコーンをワッフルコーンにup

旭川空港近くのアイスクリーム専門店。地元で行列ができる人気店のソフトクリームです。ストレスフリーで育てられた牛の良質な生乳を使い、牛乳感満載。これぞ北海道牧場牛乳ソフト！　過去にイベントでソフトクリームを監修させていただいたこともあります。

#牧場 #牛乳感満載 #ジェラートも人気

アイス工房田村ファーム Clover

北海道上川郡東神楽町東二線16-97
☎0166-83-7570　営10:00〜18:00
ソ提供時間：同上　休水曜
https://tamurafarm.com/

111

ソフトクリーム

check »

¥450円

北海道神宮内にある神宮茶屋のソフトクリームは、あっさりとした牛乳の味わいで細巻きのシルエットがとてもキレイ。バターが香るサブレコーンとの相性も最高です。朝は9時から営業しているので、朝の散歩のあとにモーニングソフトクリームを楽しむのがおすすめです。

#あっさり #神社 #サブレコーン

神宮茶屋

北海道札幌市中央区宮ヶ丘474 北海道神宮内
☎なし
営9:00〜北海道神宮の閉門時間に準ずる
ソ提供時間：〜閉店まで
休なし
Instagram：@jinguuchaya_hokkaido

112

のぼりべつ酪農館 ソフトクリーム

check »

¥400円

登別温泉街から車で15分程度。牧場風景に囲まれた学校を改築した店舗です。のぼりべつ牛乳を使った、温度管理の徹底されたカルピジャーニから抽出してくれるソフトクリームは濃厚でクリーミー。周囲の景色と合わせて、北海道に来ていることを実感できる環境です。

#登別温泉 #低温殺菌 #カルピジャーニ

のぼりべつ酪農館

北海道登別市札内町73-3
☎0143-85-3184
営10:00〜16:00
ソ提供時間：同上
休不定休
https://www.rakunoukan.com/

113

アップルパイパフェ

check »

¥570円

温泉宿隣接の手作りスイーツのお店。北海道牛乳をたっぷり使った濃厚ソフトをカルピジャーニから抽出してくれます。「アップルパイパフェ」は、ソフトに名物のアップルパイ（ハーフ）、クラッシュしたパイ生地、りんごグラッセなどをのせた満足感ある一品です。

#温泉宿隣接 #アップルパ #カルピジャーニ

ジェイ・グラッセ（J・glacée）

北海道札幌市南区定山渓温泉西4丁目356番地
☎011-598-2323
営9:00〜17:00
ソ提供時間：同上
休不定休
https://jglacee.jp/
Instagram：@j.glacee

114

くりりんかぼちゃソフト

check »

¥350円

日用品や食品などを扱う土産店。函館駅の道路を挟んだ向かいにあり、アクセスのしやすい立地です。ここでは糖度20度以上の日本一甘い「幻の黄金かぼちゃ」といわれている「くりりんかぼちゃ」のソフトクリームが食べられます。濃厚なかぼちゃ風味が口いっぱいに広がります。

#かぼちゃ #日本一の甘さ #アクセス良好

まるごと北海道ストア えぞりす byねばねば本舗

北海道函館市若松町20-1 キラリス函館1F
☎0138-27-4777
営10:00〜18:00
ソ提供時間：同上　休年末年始
http://ezolis.com/
Instagram：@ezolis0729

Hokkaido

北海道おすすめソフト

116
コッコテラス

115
広瀬牧場
ウエモンズハート

117
カナスチール
みたら室蘭

New Chitose Airport

新千歳空港おすすめソフト

115 オリジナルミルクソフトクリーム

check »

¥450円　特典●ソフトクリーム大盛り

帯広にある牧場併設のジェラートショップ。「オリジナルミルクソフトクリーム」は25年前の開店時から人気の商品で、広瀬牧場の搾りたての生乳を1回のみの低温殺菌で、生乳本来の味、香り、甘み、濃厚なのにすっきりとしたのど越しを楽しめます。

#牧場　#低温殺菌　#ジェラート

広瀬牧場 ウエモンズハート

北海道帯広市西23条南6-13
☎0155-33-6064　営10:00〜18:00
（11〜3月:〜17:00）　ソ提供時間：同上
休4〜10月:無休、11〜3月:水曜、1〜2月:休業
Instagram：@uemons.heart

116 たまごソフト

check »

¥550円　特典●50円引き

平飼い有精卵を生産する「永光農園」運営の卵とスイーツのお店。この養鶏場でとれた卵の卵黄を使ったソフトクリームは、クリーミーで絹のような滑らかな口当たりで、味も濃厚です。新鮮卵を使ったプリンと一緒に楽しめる「プリンソフト」も絶品です。

#養鶏場　#たまご　#スイーツ

コッコテラス

北海道札幌市清田区有明216
☎011-886-7204　営10:00~17:00
ソ提供時間：同上　休水曜
https://nagamitsufarm.com/
Instagram：@coccoterrace

117 うずらんソフト

check »

¥350円
特典●50円引き

北海道室蘭市にある道の駅では、日本全国でもここでしか食べられないうずらの卵を使ったソフトクリームが楽しめます。濃厚な搾りたて牛乳のソフトにうずら卵が加わると、ミルク感がより濃くなり、甘みも増してめちゃくちゃおいしいです。ソフトクリーム単品のほか、プルーン、いちご、りんごの3種類がある「うずらんソフトパフェ」、アイスなどもあります。海や白鳥大橋を眺めながら食べることができます。

#道の駅　#うずら

カナスチールみたら室蘭

北海道室蘭市祝津町4-16-15
☎0143-26-2030
営4〜10月：9:30〜19:00、
11〜3月：〜17:00
ソ提供時間：4〜10月：〜18:00、
11〜3月：〜17:00
休4〜10月：無休、
11〜3月：木曜、年末年始
http://iburi.net/mitara/

New Chitose Airport

新千歳空港おすすめソフト

ソフトクリーム好きにとっては夢のような場所・新千歳空港のおすすめを紹介します。

118 空港ソフト

check »

¥420円

昭和天皇陛下のために作られたアイスクリーム「スノーロイヤル」が有名で、新千歳空港で行われている「ソフト・アイスクリーム総選挙」でも人気のお店です。「空港ソフト」は、北海道産100%の牛乳と生クリームを使用。新千歳空港内の工場で作っており、新千歳空港内でしか食べられない逸品です。いろいろなトッピングを楽しめたり、他のフレーバーもあったりしますが、ここはぜひそのままの「空港ソフト」を堪能してほしいです。

#スノーロイヤル #牛乳系 #空港内製造

雪印パーラー フードコート店

北海道千歳市美々
新千歳空港国内線ターミナルビル3F
☎0123-46-2008
営10:00～20:00
ソ提供時間：同上 休なし
https://www.snowbrand-p.co.jp/

119 牧場直送ソフトクリーム

check »

¥380円

北海道各地のソフトクリームが不定期に2週間ごとに19種類のローテーションで楽しめます。興部町のノースプレインファーム、冨田ファーム、養老牛の山本牧場、ニセコの高橋牧場などなど。タイミングによって牧場が変わりますので、行くたびに要チェックです。

#カルピジャーニ #牧場 #種類が変わる

Milk Stand 北海道興農社

北海道千歳市美々
新千歳空港国内線ターミナルビル2F
☎0123-25-8600
営8:00～20:00
ソ提供時間：～19:30 休なし
http://www.hokkaido-konosha.co.jp/

120 ムースフロマージュパルフェ

check »

¥800円

「ドゥーブルフロマージュ」が大人気のルタオの空港限定商品。北海道産ジャージー牛乳と、フロマージュチーズのミックスソフト「クレームグラッセ」に、「ドゥーブルフロマージュ」といちごをトッピング。中にはいちごゼリー、ミルクムースなどが入った贅沢パフェです。

#空港限定 #パフェ #季節限定も有

LeTAO 新千歳空港店

北海道千歳市美々
新千歳空港国内線ターミナルビル2F
☎0123-46-2250 営8:00～20:00
ソ提供時間：同上（木曜日のみL.O.19:30） 休なし
https://www.letao.jp/
Instagram：@letao_official

新千歳空港おすすめソフト

ホワイトチョコを
加えた
定番土産の
ソフトクリーム

121
JAL PLAZA

あつあつの
キャラメルと
冷たいソフトが
絶品

スイートポテトの
ソフトクリームに
あんこ入り

122
わかさいも

123
花畑牧場

※126：提供時のデザインは一部変更になっています。

121 白い恋人 ソフトクリーム

check »

¥340円

北海道土産の定番「白い恋人」のホワイトチョコを加え、ソフトクリームに仕上げた「白い恋人ソフトクリーム」。最近こそ催事や期間限定などで食べられる場所が増えてきましたが、新千歳空港ではいくつかのお店で食べることができます。なかでもこのJAL PLAZA新千歳空港出発ロビー店では、カルピジャーニから抽出してくれます。コーンとカップがありますが、ロゴの入ったカップがうれしいですね。

#カルピジャーニ #銘菓 #白い恋人

JAL PLAZA 新千歳空港 出発ロビー店

北海道千歳市美々
新千歳空港国内線ターミナルビル2F
☎0123-46-2461
営7:10～20:30
ソ提供時間：10:00～18:00
休なし

122 あんぽてとソフト

check »

¥430円

北海道・洞爺湖温泉の「わかさいも本舗」。小豆あんをさつまいもあんで包んだ銘菓「北海道あんぽてと」が、ソフトクリームで再現されています。スイートポテトソフトの中には自家製こしあんが入っていて、口の中で混ざり合うと至高のおいしさです。

#銘菓 #スイートポテト #空港限定

わかさいも 新千歳空港店

北海道千歳市美々
新千歳空港国内線ターミナルビル2F
☎0123-29-3232 営9:00～19:00
ソ提供時間：～18:30 休なし
https://www.wakasaimo.com/

123 ホットキャラメル ソフトクリーム

check »

¥480円

生キャラメルで一世を風靡した「花畑牧場」。いろいろなソフトがありますが、断然「ホットキャラメルソフトクリーム」！ 十勝の生乳を100%使用した濃厚ソフトクリームに、あつあつのホットキャラメルソースがたっぷり。溶けたあとも、最後の一滴まで楽しめます。

#生キャラメル #ひやあつ  #濃厚

花畑牧場 新千歳空港店

北海道千歳市美々
新千歳空港国内線ターミナルビル2F
☎0120-929-187（カスタマーセンター）
営9:00～19:00 ソ提供時間：10:00～19:00
休なし http://www.hanabatakebokujo.com/

124

北海道牛乳カステラ＋ドリンクセット

check »

¥750円

北海道産の牛乳や小麦粉などにこだわって焼き上げたカステラはもちろん、ソフトクリームも絶品です。「カステラセット」は焼きたてのカステラ、牛乳、ソフトクリーム（または生クリーム）という夢のようなプレート。ソフトは釧路のワンツー牧場の新鮮な牛乳を使っています。

#カステラ　#ひやあつ　#生クリームに変更も可

北海道牛乳カステラ

北海道千歳市美々 新千歳空港内連絡施設3F
☎0123-46-2205
営9:00〜19:30（カフェ10:00〜）
ソ提供時間：9:00〜19:00
休なし
http://h-castella.jp/
X（旧Twitter）：@h_castella

125

ロイズ ソフトクリーム〔チョコ〕

check »

¥300円

「生チョコレート」で有名なロイズのこだわりが生きたチョコレート味。厳選したチョコレートを使用し、ふわふわで苦みのない上品な濃厚チョコ感満載の仕上がりながらも、後味はすっきり。ミルクもありますが、まずはチョコ単体をオススメします。

#チョコ専門店　#濃厚　#甘さ控えめ

ロイズ（ROYCE'）新千歳空港店

北海道千歳市美々
新千歳空港 国内線ターミナルビル2F
☎0570-020-612
営8:30〜19:30 ※時期によって変動
ソ提供時間：〜19:00（メンテナンス時は〜15時）
休なし
https://www.royce.com/

126

ショコラブラウニーソフト 〜ciel（シエル）〜

check »

¥702円（イートイン715円）

特典●トッピング（チョコレート）無料

新千歳空港の搭乗待合室内にあり、飛行機に乗る人しか食べられません。人気商品「ショコラブラウニー」とソフトがたっぷりで、ソフトは深みのある香りと上品な苦みの「ショコラ」か、すっきりとした甘さとミルク感の豊かな「ホワイトショコラ」から選べます。

#チョコ専門店　#ブラウニーが人気　#空港限定

Chocolatier Masále ゲートラウンジ店

北海道千歳市美々 新千歳空港
国内線ターミナルビル2F　搭乗待合室内
☎0123-29-4461　営10:00〜20:00
ソ提供時間：同上　休なし
https://www.masale.jp/
Instagram：@chocolatiermasale

127

北海道 ハスカップソフト

check »

¥450円

1974年創業の喫茶店。千歳産のハスカップを使った新千歳空港限定商品です。甘酸っぱくてフルーティーな、シャーベット感覚のソフトクリームなので、ラーメンやお寿司を食べたあとのシメにも最高。北海道産牛乳を使った「北海道牛乳ソフト」や、エスプレッソコーヒーを使った「珈琲ソフト」もあります。

#ハスカップ　#テイクアウト専門店

東亜珈琲館

北海道千歳市美々
新千歳空港 国内線ターミナルビル2F
☎0123-38-9205
営8:00〜20:00
ソ提供時間：同上　休なし
X（旧Twitter）:@toa20180424

ソフトクリームコーンとは？

ソフトクリームには
欠かせない相棒、コーンの
世界についてご案内します。

たくさんの
仲間を
紹介します

香ばしさと食感が メインを引き立てる

サクサクの食感と香ばしさで、ソフトクリームの冷たさや甘さをまろやかにしてくれるソフトクリームコーン。一般的な「レギュラーコーン」の原料は、小麦粉、砂糖や油脂など。生地を凹型の金型に流し入れて、凸型で挟むことで焼き上げられます。網目模様が印象的な「ワッフルコーン」は、生地を平たく焼き、温かいうちに巻き上げて成型しています。ラングドシャに代表される「菓子コーン」は、生地を焼き、金型に巻き付け成形しています。

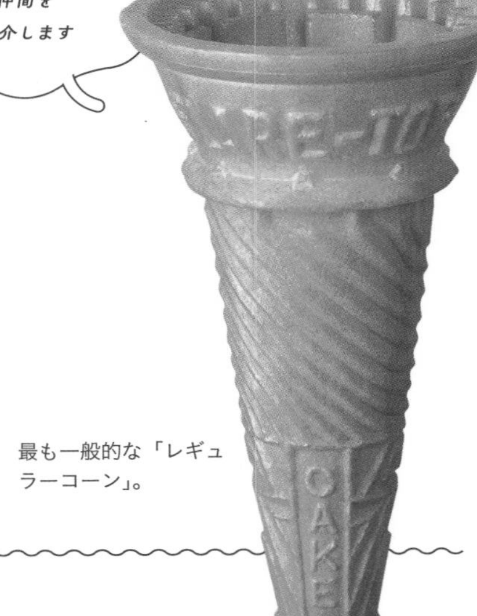

最も一般的な「レギュラーコーン」。

いろいろな形①

お店で見かけることの多い、人気コーンを紹介します。

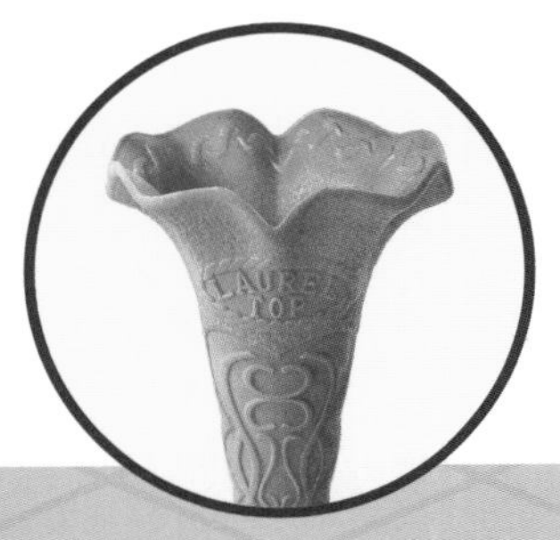

上部が広がっている上品な見た目のコーン。アーモンドやバターの風味が楽しめる。

レギュラーコーンよりも固く、カリッとした歯ごたえを楽しめるワッフル生地。

ワッフル生地をボウル型にしたタイプ。アイスクリームや洋菓子にも使われる。

Evolutionary

進化系 コーン

128 自然素材の菓子工房ましゅれ

こだわりの素材で焼いた
洋菓子店の
数量限定
ワッフルコーン

130 アイスビストロヒライ（ICE BISTRO HIRAI）

あつあつの
焼き立てコーンと
冷たいソフトが◎

129 地球のアイス

3種類から
味が選べる
手焼きコーン
が珍しい

※128：写真は白石本店。長沼にも店舗があります。

いろいろな形②

素材や形に特徴がある、変わり種のコーンを紹介します。

メープルシロップがほのかに香る

グラノーラ素材を使用した健康志向のコーン。甘くないソフトクリームにも好相性。

一口目からソフトクリームとコーンを一度に楽しめる、楕円でスリムな形状。

サブレ生地を焼き、ブーケのように成形したもの。バターの風味が楽しめる。

「Maison de miimo」(P10)は、内側にチョコレートが塗られた手焼きのラングドシャコーンを使用。

〝手焼き〟のコーンがアツい！

近頃、ワッフル生地やラングドシャ生地でコーンを作り提供している〝手焼き〟のお店が増えています。その多くはクレープ屋さんや洋菓子屋さんなど、ワッフルを焼く設備のあるお店です。手焼きのコーンはサクッと歯ごたえが軽く、口の中でホロリと崩れていくのでたまりません。今後も〝手焼き〟のコーンを扱うお店は増えていくことでしょう。

Evolutionary
進化系コーン

今アツい〝手焼き〟のコーンが楽しめるお店を厳選しました。

128 ジャージー乳ソフト

check »

¥530円　特典●100円引き

札幌市白石区の無添加・天然素材にこだわった洋菓子店。美瑛町のジャージー牛の新鮮な牛乳と、砂糖のみで作られた無添加仕上げのソフトクリームをカルピジャーニから抽出してくれます。さらにおいしさをアップさせているのは、手焼きのワッフルコーン。店内でひとつひとつ丁寧に作られていて、店内は常に香ばしい香りが漂っています。ワッフルコーンが口の中でホロホロと崩れ、ソフトクリームと絡み合い好相性です。ワッフルコーンは数量限定ですのでお早めに。

#北海道　#カルピジャーニ

自然素材の菓子工房 ましゅれ

北海道札幌市白石区
川北2条3-7-22
☎011-598-9110
営11:00〜17:30
ソ提供時間：同上
休月曜、火曜
https://mashle.jp/
Instagram:@mashle117

130 プレミアムミルク

check »

¥500円
特典●トッピング無料

香川県高松市のアイス専門店。オーダーを受けるとその場で焼き上げてくれるワッフルコーンが絶品です。ソフトクリームは、まるで生クリームのような濃厚さの「プレミアムミルク」と、季節ごとに変化するフレーバーの2種類から選べます。

#香川県　#ワッフルコーン　#アイス専門店

アイスビストロ ヒライ（ICE BISTRO HIRAI）

香川県高松市塩屋町8-3
☎087-802-2990　営10:00〜19:00
ソ提供時間：同上　休なし
https://icebistrohirai.jp/
Instagram:@ice_bistro

129 ツインズタワー

check »

¥900円
特典●トッピング無料

北広島市のソフトクリーム専門店。ワッフルコーンは、お店で一枚一枚丁寧に焼き上げており、チョコ、シナモン、アーモンドから選べます。「ツインズタワー」のソフトは、濃いめの養老牛 山本牧場と、甘さ控えめあっさりのあすなろファーミングのものを選びました。

#北海道　#ワッフルコーン　#カルピジャーニ

地球のアイス

北海道北広島市大曲幸町3-4-7
☎011-375-6836
営夏季（4〜10月）平日11:00〜21:00、土日〜22:00　冬季（10〜3月）〜20:00
ソ提供時間：同上　休なし
Instagram:@chikyunoice

column
4

海外ソフトクリーム食べ歩きスナップ

国ごとに
個性があって
面白いですよ！

フィリピン・ボラカイ島のセブンイレブンでは、フリーザーから抽出するソフトクリームが食べられます。ホワイトビーチを眺めながら食べるソフトクリームは絶品。

ソフトクリームはアメリカが発祥といわれていますが、日本はもちろん世界各国で食べられ親しまれています。

アメリカやアジア各国では、ソフトクリームとアイスクリームのチェーン店「デイリークイーン」のチョコ漬けソフトクリームが今でも食べられます。かつて日本にも店舗がありましたが、撤退してしまいました。懐かしいと思った方も多いのではないでしょうか。

メジャーリーグ各球場では、ヘルメットソフトクリームが日本よりも前から販売されています。今ではすっかりお馴染みになりました。本場はトッピングもカラフル、ボリューミーでアメリカンな仕上がりです。

アジア各国では自国産フルーツをふんだんに使ったソフトクリームを食べることができます。韓国では、日本の

A〈台湾〉100%自然栽培茶葉を使った、高品質台湾茶で人気の台湾茶専門店。**B**〈アメリカ〉人気ソフトチェーンの、チェリーチョコ漬けソフト。**C.D**〈アメリカ〉フェンウェイパークとエンゼルスタジアムのヘルメットソフト。**E**〈アラブ首長国連邦〉ドバイのラクダミルク専門店のソフト。**F**〈韓国〉ソウルのスイカソフト。**G**〈フィリピン共和国〉ボラカイ島のマンゴーソフト。

流行に影響を与えるような映えを意識したものにも数多く出会いました。ドバイではラクダのミルクを使ったソフトクリームも。砂漠の国らしいですね（かなりクセがありましたが……）。

世界には素晴らしいソフトクリームがたくさんありますが、私は日本のソフトクリームが世界で一番おいしいと思っています。新鮮でおいしい牛乳、販売される方々の創意工夫、販売店舗や種類の多さ、機械のコンディションやメンテナンス体制、気候や環境など。世界一のソフトクリーム天国・日本で活動できていることがとても幸せです。

最近、コンビニアイスが訪日観光客に大人気のようです。いずれ、ソフトクリームも世界中から注目され「日本に来たらソフトクリームを食べたい」という流れも来てほしいと思います。

青森県

北海道

神奈川県

岩手県

宮城県

福島県

東京都

山梨県

静岡県

愛知県

京都府

大阪府

千葉県

埼玉県

新潟県

長野県

※本書で紹介したソフトクリームを扱うお店を地域ごとに収録しました。複数店舗があるお店は代表店舗のある都道府県で掲載しています。

staff

写真・文	プロソフトクリーマー森川
デザイン	南 彩乃（細山田デザイン事務所）
撮影	中村和平（P18、47、裏表紙、著者近影）
DTP	天龍社
校正	鴎来堂
編集・文	梶原綾乃
取材・写真協力	日世株式会社、ミニストップ株式会社
写真協力	カルピジャーニジャパン株式会社（P20）、氷菓子屋KOMARU（P26）、ジェラテリアNatu-Lino（P30）、神戸六甲牧場（P30）、川越ショコラBromagee（P34）、豊洲ぐるめ・p-ice（P38センリ軒）、道の駅うずしお（P79）、安達太良SA（P79）、コメダ珈琲店（P90）、ホテルショコラ（P91）、The Hakone Open-Air Museum Café（P82）、SORA CAFE（P98）、まるごと北海道ストアえぞりす（P107）、広瀬牧場 ウエモンズハート（P110）、小樽洋菓子舗ルタオ（P111）、花畑牧場（P114）、アイスビストロ ヒライ（P119）
撮影協力	株式会社ブールミッシュ
Special thanks	佐藤真由子、澤村尚生、後藤るつ子、平山愛

いとしのソフトクリーム130

著　者	プロソフトクリーマー森川
編集人	栃丸秀俊
発行人	倉次辰男
発行所	株式会社主婦と生活社 〒104-8357　東京都中央区京橋3-5-7 TEL 03-5579-9611（編集部） TEL 03-3563-5121（販売部） TEL 03-3563-5125（生産部） https://www.shufu.co.jp
製版所	東京カラーフォト・プロセス株式会社
印刷所	大日本印刷株式会社
製本所	共同製本株式会社

ISBN978-4-391-16040-6